Rachel Renée Russell

diario de
NIKKI 10

UNA **CUIDADORA**
DE PERROS
CON MALA PATA

RBA

Título original: *Tales from a NOT-SO-Perfect Pet Sitter*

Publicado por acuerdo con Aladdin, un sello de Simon & Schuster Children's Publishing Division, 1230 Avenue of the Americas, Nueva York NY (USA)

© del texto y las ilustraciones, Rachel Renée Russell, 2015.

© de la traducción, Isabel Llasat Botija, 2016.

Diseño: Lisa Vega

Maquetación y diagramación: Anglofort, S. A.

© de esta edición, RBA Libros, S. A., 2016.

Avenida Diagonal, 189. 08018 Barcelona

www.rbalibros.com

rba-libros@rba.es

Primera edición: octubre de 2016.

Ref: MONL341

ISBN: 978-84-272-1013-4

Depósito legal: B. 17555-2016

Impreso en España – Printed in Spain

En memoria de
mi padre y héroe,
Oliver.

Gracias por enseñarme
a tener grandes sueños, esforzarme
¡y no rendirme NUNCA!

AGRADECIMIENTOS

¡YAJUUU! ¡Lo hemos vuelto a conseguir! Me alegra presentaros otro libro de nuestra maravillosa serie Diarios de Nikki.

Y con cada nuevo libro añadimos otra dosis de diversión, drama y emoción al excéntrico mundo de Nikki Maxwell.

Nada de esto habría sido posible sin la ayuda de los siguientes miembros del EQUIPO PEDORRO:

Liesa Abrams Mignogna, mi SUPERGUAY y CREATIVA directora editorial. ¡Gracias por todo lo que haces! ¡Siempre me asombra cómo mueves todas las piezas para que este manuscrito llegue a destino a su debido tiempo! ¡Es muy divertido trabajar contigo! Y saber que aún te ríes a carcajadas cuando lees mis libros me anima a seguir haciendo llegar la voz de Nikki al mundo entero. ¡Estoy impaciente por enseñar a nuestros fans PEDORREICOS quién es MAX CRUMBLY y crear recuerdos aún más increíbles contigo!

Karin Paprocki, mi TALENTOSA directora de arte. ¡ME ENCANTA y ME ENCANTA nuestra cubierta con huellas de cachorro! ¡Será otro éxito seguro! Gracias por tu INCREÍBLE trabajo y por hacer lo imposible por superar nuestro LOCO calendario.

Mi maravillosa editora jefe Katherine Devendorf. Gracias por lo mucho que has trabajado en esta serie y por aguantarnos a esas horas de la madrugada. Tu dedicación nos ha permitido llevar a buen puerto otro libro alucinante.

Daniel Lazar, mi FABULOSO agente en Writers House. Gracias por tu honradez y tu apoyo. Eres más que un agente, eres un verdadero amigo y un auténtico pedorro hasta la médula. ¡Gracias por creer en mí!

Un agradecimiento especial a mi Equipo Pedorro de Aladdin/Simon & Schuster: Mara Anastas, Mary Marotta, Jon Anderson, Julie Doebler, Jennifer Romanello, Faye Bi, Carolyn Swerdloff, Lucille Rettino, Matt Pantoliano, Teresa Ronquillo, Michelle Leo, Candace McManus, Anthony Parisi, Christina Pecorale, Gary Urda y toda la gente de ventas. ¡Nunca lo habría conseguido sin vosotros! ¡Sois los MEJORES!

Torie Doherty-Munro de Writers House; a mis agentes internacionales Maja Nikolic, Cecilia de la Campa y Angharad Kowal, y a Deena, Zoé, Marie y Joy... ¡Gracias por ayudarme a pedorrificar el mundo!

A Erin, mi coautora supertalentosa, y a Nikki, mi ilustradora supertalentosa. Teneros por hijas es una verdadera BENDICIÓN. Kim, Don, Doris y el resto de mi familia, no sabéis lo feliz que me siento de compartir este sueño con vosotros. ¡Os quiero mucho a todos!

¡Y no os olvidéis de dejar asomar vuestro lado PEDORRO!

Mira, lo he intentado SINCERAMENTE, lo de ser educada con este tema, pero... ¡¡LO SIENTO!! ¡¡NO PUEDO AGUANTARLO MÁS!!

Si vuelvo a oír mencionar el nombre de MacKenzie Hollister una sola vez... ¡¡¡GRITARÉ!!!

No puedo creer que todo el instituto SIGA hablando de ella. Cualquiera diría que sufren una obsesión enfermiza.

"Si estuviera MacKenzie, ¡esto le ENCANTARÍA!".

"Si estuviera MacKenzie, ¡esto le HORRORIZARÍA!".

"Este instituto no volverá a ser igual sin MacKenzie!".

"¡OH, CIELOS! ¡Cómo echo de menos a MacKenzie!".

¡MACKENZIE! ¡MACKENZIE! ¡MACKENZIE! ¡¡☹!!

¡YO, EN PLENA CRISIS NERVIOSA PORQUE ESTOY HARTA DE QUE TODO EL MUNDO HABLE DE MACKENZIE!

A ver si os enteráis de una vez por todas: ¡¡MacKenzie se FUE del insti hace una semana y NO va a volver!!

¡¡Así que llorad un poco, secaos los mocos y superadlo!!

Vale, lo confieso.

Yo me quedé tan pasmada y sorprendida como los demás cuando MacKenzie decidió irse de aquella manera.

Pero esa chica ME ODIABA A MUERTE y me hacía la vida totalmente IMPOSIBLE.

Y, sinceramente, parece que TODAVÍA ande por aquí.

Por extraño que parezca, casi puedo SENTIR su presencia, incluso ahora mientras escribo mi diario.

Claro que algo tendrá que ver la BASURA de MAL GUSTO que están dejando en su honor y que ¡está INVADIENDO EL ESPACIO DE MI TAQUILLA! ¡¡☹!!

YO, ASQUEADA CON TODA LA BASURA
QUE OCUPA MI ESPACIO. ¡¡☹!!

Supongo que MacKenzie está DISFRUTANDO de que su antigua ex-BFF Jessica haya convertido su taquilla vacía en un altar en su honor, ¡con su propia página de Facebook y todo!

¡¡POR-FA-VOR!!

Lo que es obvio es que MacKenzie SIGUE manipulando alumnos.

Sobre todo después de ese EMAIL DE DESPEDIDA tan patético y melodramático que ha enviado esta mañana al periódico del instituto.

El editor hasta lo ha colgado en la web para que lo pudiera leer todo el centro.

¡MADRE MÍA! Menudo rollo soltaba MacKenzie sobre lo cansada que estaba de tanto sufrimiento innecesario y como había decidido irse a un lugar mucho mejor.

Seguro que lo decía para dar PENA a todo el mundo.

Por si acaso yo me decidía a CONTAR todas las cosas TERRIBLES que hizo antes de irse.

Pensar en todo esto me INDIGNA tanto que saco humo... ¡por las OREJAS y por la NARIZ! ¡¡☹!!

Puede que no quede muy fino por mi parte, pero os voy a decir en qué se parece MacKenzie a un pañal de bebé:

LOS DOS SON DE PLÁSTICO,
LOS DOS ABSORBEN TODO LO QUE TOCAN,
¡¡Y LOS DOS ESTÁN LLENOS DE CACA!!

AÚN no he superado todo lo malo que me hizo MacKenzie. Como robarme el diario, entrar en la cuenta de la Señorita Sabelotodo, responder a consultas de los alumnos con cartas falsas y muy malvadas y difundir mentiras y rumores horribles.

¿Y ahora se hace la VÍCTIMA solo porque alguien difundió un estúpido vídeo de ella poniéndose histérica al encontrarse un bicho en el pelo? ¡Sí, anda!

Total, que MacKenzie puso fin a su supuesto padecimiento en el Instituto Westchester Country Day cambiando a un lugar supuestamente mejor...

¡La Academia Internacional North Hampton Hills!

Es un colegio muy pijo para hijos de famosos, políticos, empresarios millonarios y miembros de la realeza. Claro que, ahora que lo pienso, MacKenzie encaja perfectamente entre los miembros de la realeza.

¡Porque es la mayor REINA DEL MELODRAMA de la historia universal! ¡¡☹!!

MACKENZIE, ¡LA REINA DEL MELODRAMA!

Encima, todo el mundo está diciendo MARAVILLAS de su nuevo colegio.

Según MacKenzie, tiene chef francés, un Starbucks, caballos, spa, pista para helicóptero y un centro comercial con tiendas exclusivas para que los alumnos puedan ir de compras en los recreos y al salir de clase.

¡Y no te lo pierdas! Dice que en su colegio hay cajeros automáticos en todos los pasillos, junto a fuentes de agua que ofrecen hasta siete clases de agua de diferentes sabores frutales.

Pero MacKenzie es una MENTIROSA patológica tan grande que hasta había empezado a preguntarme si su SUPERcolegio existía de verdad.

No me habría extrañado que se lo hubiera inventado por completo para impresionar a todo el mundo y que en realidad estudiara desde casa.

Por eso lo busqué en Internet. Y encontré su web oficial.

¡MADRE MÍA! ¡No podía creer lo que veía!...

¡El adjetivo "PIJO" para la Academia Internacional North Hampton Hills se queda corto!

¡¡¡Es un sitio INCREÍBLE!!!

Me recuerda mucho al colegio de Harry Potter, Hogwarts.

Solo espero que MacKenzie sea por fin feliz (suponiendo que realmente vaya a esa escuela).

Er... me pregunto si en North Hampton Hills concederían una beca a una alumna muy trabajadora a cambio de servicios de fumigación de BICHOS...

¡ES BROMA! ¡¡☺!!

Pero, mira, no sería la primera escuela que hace un trato así, ¡¿VERDAD?!

En cualquier caso, ahora que MacKenzie se ha ido, ¡MI vida va a ser PERFECTA! ¡☺!

¡Y SIN DRAMAS! ¡☺!

Bueno, tengo que dejar de ~~berrear~~ escribir y prepararme para salir.

He quedado con Chloe, Zoey y Brandon en la pastelería Dulces Cupcakes dentro de veinte minutos, y AÚN tengo que ponerme mi vestido preferido.

¡¡¡Los cupcakes que hacen allí están de MUERTE!!!

¡YAJUUUUU!

¡¡☺!!

MIÉRCOLES, 16:45 H, DULCES CUPCAKES

Ha sido genial relajarse un rato con Chloe, Zoey y Brandon en Dulces Cupcakes.

Aunque en mi interior estaba bailando el baile de Snoopy mientras contaba con alegría desbocada los MINUTOS que MacKenzie llevaba FUERA de mi vida...

¡¡12.584, 12.585, 12.586, 12.587, 12.588, 12.589...!!

¡¡ESTOY... TAN... CONTENTA!!

¡¡YO, BAILANDO EL BAILE DE SNOOPY!!

Empezaba a creerme POR FIN que Mackenzie se había ido PARA SIEMPRE.

Me sentía llena de ESPERANZA y con un futuro RENOVADO por delante.

Estaba tan pensativa que no me he dado cuenta de que Brandon no paraba de mirarme.

Cuando lo he visto se ha puesto colorado y me ha tendido un precioso cupcake con un corazón rosa.

"Nikki, me alegro de que volvamos a quedar. Sé que últimamente no lo has pasado del todo bien, pero espero que ya esté arreglado", ha dicho tímidamente apartándose el flequillo de los ojos.

"Brandon, ¡todo es PERFECTO!", he respondido encantada.

Y nos hemos quedado mirándonos y sonrojándonos.

Y así hemos estado (hablando encantados, mirándonos y sonrojándonos) durante, no sé, ¡¡una ETERNIDAD!!

BRANDON Y YO ENCANTADOS, MIRÁNDONOS,
Y SONROJÁNDONOS ANTE UN CUPCAKE.

¡MADRE MÍA! ¡Era TAN romántico!

De pronto he empezado a sentir un ejército de hormigas en la barriga.

Sentía al mismo tiempo cosquillas y un poco de náuseas. Como si quisiera vomitar... ¡un arcoíris de CONFETI PARA CUPCAKES!

¡¡YAJUUUUUUUUUUUU!! ¡¡☺!!

Cuando nos hemos quedado mirándonos a los ojos, ¡sentía claramente que estaba a punto de suceder algo muy LOKOOO!

¡OTRA VEZ! Algo como... ¡lo que tú YA SABES! ¡¡☺!!

Chloe y Zoey, que estaban sentadas a la mesa de al lado, se han ido a otra tienda a comprarse batidos de fresa. ¡Brandon y yo nos hemos quedado solos! ¡☺!

NO HAY palabras para explicar lo que ha pasado después...

18

¡¡MADRE MÍA!! NO podía creer que de verdad fuera...

¿MACKENZIE HOLLISTER? ¡¡☹!!

¡Había aparecido de la nada!

Brandon y yo éramos las víctimas de otro...

¡ATAQUE DE MACKENZIE VIVIENTE! ¡¡☹!!

MacKenzie llevaba una ENORME sonrisa estampada en la cara, con los labios pintados con brillo Rojo Vengador. Un color que, por cierto, no pegaba nada con nuestro cupcake rosa que no sé cómo le había ido a parar a la cabeza y resbalaba por la cara.

Se ha sacado muy despacio un trozo de cupcake aplastado y se ha chupado el dedo para limpiarlo.

"¡Huy, PERDÓN!", ha dicho con una risita.

Luego ha sonreído pérfidamente y ha soltado...

¡MACKENZIE, DEVOLVIÉNDONOS EL CUPCAKE!

¡MADRE MÍA! ¡Aquellos restos de cupcake daban tanto asco que he vuelto a sentir ganas de VOMITAR! ¡☹!

Me he dado cuenta de lo EQUIVOCADA que estaba respecto a MacKenzie. ¡¡NO se había ido de mi vida para siempre!! ¡¡AÚN no!! Pero pensaba solucionar ese problemilla enseguida.

¡¿QUE CÓMO?! Pues agarrándola por ese cuello tan retorcido que tiene y obligándola a comer cupcakes hasta que le saliera el glaseado por las orejas.

¡MacKenzie era CRUEL y DESPIADADA! No solo había echado a PERDER mi cupcake sino que además había INTERRUMPIDO a lo bestia mi casi SEGUNDO BESO con Brandon. ¡☹!

(Que, por cierto, esta vez NO tenía nada que ver con ayudar a los niños necesitados del mundo.)

La he mirado directamente a sus malvados ojos y he visto que lo había hecho todo solo para sabotear mi relación con Brandon.

"¡¡¡MacKenzie!!!", he exclamado casi sin voz. "¡¿QUÉ haces tú aquí?!".

"He venido a saludar. ¡Hace un MONTÓN de tiempo que no nos veíamos! ¡Y la verdad es que no has cambiado lo más mínimo, Nikki!".

"A lo mejor es porque solo ha pasado una semana, un día, ocho horas, cincuenta y cuatro minutos y treinta y nueve segundos. Y no es que lo haya contado, no creas...", he murmurado.

Entonces no he podido contenerme y he gritado: "¡MacKenzie! ¡La próxima vez intenta desaparecer el tiempo SUFICIENTE para que te pueda empezar a echar de menos! No sé, por ejemplo, ¡¡veintisiete AÑOS!!". Pero solo lo he dicho en el interior de mi cabeza y nadie más lo ha oído.

¡Aún no puedo creer lo que ha hecho después!

¡¡Ignorarme por COMPLETO y FLIRTEAR descaradamente con BRANDON!!

"Oye, Brandon, ¿quedamos el fin de semana? Así te cuento todo sobre North Hampton Hills. Te encantaría. ¡Deberías pedir que te cambien!", ha dicho pestañeando en plan seductor mientras se enroscaba un mechón de pelo con el dedo en un intento más que obvio de hipnotizarlo para que cumpliera sus perversos deseos...

¡¡MACKENZIE, FLIRTEANDO DESCARADAMENTE CON BRANDON!!

"Pues la verdad, MacKenzie, es que Nikki me lo ha contado todo. Lo siento, pero ¡NO salgo con SOCIÓPATAS!", le ha contestado mirándola mal.

"Pues, mira, Brandon, ¡no deberías creer todo lo que te cuenta tu amiguita!", ha respondido MacKenzie con sorna. "¡Sobre todo si no ha tomado la MEDICACIÓN!".

NO podía creer que esa tipa me estuviera poniendo VERDE en la cara de aquella manera. ¡¡Y encima delante de mi AMOR SECRETO!!

Luego ha arrugado la nariz hacia mí como si estuviera oliendo algo muy APESTOSO.

"Nikki, ¿quieres una pastilla para el aliento? ¡Es que de tanta PORQUERÍA que has expulsado por la boca ahora te APESTA!".

"No, MacKenzie, ¡creo que TÚ necesitas mucho más que yo la pastilla para refrescar el aliento! ¡Has contado tantas TONTERÍAS y MENTIRAS que TU aliento apesta más que las sobras del guiso de coliflor de mi madre pudriéndose en el cubo de basura en pleno mes de julio!", le he replicado.

Entonces MacKenzie ha pegado su cara a la mía como una máscara de ortodoncia.

"Nikki, ¡¡eres una IMPOSTORA patética!! Ni siquiera deberías ir al instituto WCD. Menos mal que yo ya no voy allí".

"¿Ah, sí? ¡Pues menos mal que TE HAS IDO! Además, MacKenzie, ¡¡para FALSA tú, que a tu lado Barbie parece REAL!! ¡Lo que no entiendo es cómo puedes llegar a ser tan mala y cruel con los demás! ¿Es porque te sientes insegura? Lo siento, pero nadie es perfecto. Ni siquiera tú, MacKenzie. De manera que ya puedes dejar de hacerlo ver".

Durante una milésima de segundo parecía un poco afectada. Supongo que le he tocado alguna fibra.

O quizá se ha preguntado por qué yo sabía que a ella le obsesionaba ser perfecta.

"A no ser que te llames Google, deberías dejar de actuar como si lo SUPIERAS TODO, Nikki. ¡Te lo ADVIERTO! Si vas chismorreando sobre mis asuntos personales, lo lamentarás. He leído tu diario y conozco TODOS tus secretos. ¡Así que mejor que NO me provoques o tú y tus patéticas amiguitas saldréis expulsadas del instituto en menos de lo que canta un gallo!".

"¡Esto es entre tú y yo, MacKenzie! ¡A mis amigas no las metas! ¡Implicar en esto a personas inocentes NO es justo!".

"¿No es JUSTO? ¡¿De verdad?! Pues ya imaginarás lo que voy a decirte, ¿no? ¡¿Y A MÍ QUÉ?!".

La he mirado alucinando y ella me ha sostenido la mirada con sus ojos azul glacial. Hasta que de pronto unos estudiantes han entrado al local y nos han interrumpido.

¡¡Y no te lo pierdas!! ¡Iban vestidos con un uniforme IDÉNTICO al de MacKenzie!

Al verlas entrar, MacKenzie se ha quedado boquiabierta como si hubiera visto un fantasma... ¡como mínimo!

Lógicamente, eso me ha resultado MUY sospechoso.

MacKenzie ha dicho TANTAS mentiras sobre TANTAS cosas durante TANTO tiempo que empezaba a preguntarme si de verdad iba a North Hampton Hills.

¡Y ahora POR FIN iba a averiguar la VERDAD! ¡¡☺!!

MIÉRCOLES, 17:10 H, DULCES CUPCAKES

¡MADRE MÍA! ¡MacKenzie estaba ESQUIZOFRÉNICA!

Dos minutos antes era Doña Contoneos en plan chulito, soltando chorradas y encarándose conmigo como si fuera un PELO DE LA NARIZ.

Y ahora, sin embargo, era un manojo de nervios y se la veía más incómoda que un gusano pegado al asfalto viendo venir un camión.

Y yo estaba DISFRUTANDO cada minuto de la escena.

Quitándose frenéticamente el glaseado del pelo, nos ha dicho: "En fin, tengo que irme. Tengo un montón de deberes. Nos vemos".

Pero no le ha dado tiempo de escapar porque sus compañeros la han visto y se han acercado a hablar.

Se ha estampado una sonrisa falsa en la cara...

MacKenzie nos ha mirado nerviosa. "Pues la verdad es que estaban a punto de marcharse. Los dos tienen un montón de deberes. Mejor otro día, ¿vale?".

Pero no le han hecho caso y se han acercado corriendo a presentarse.

"¡Hola, hola! ¡TÚ debes de ser Nikki! Me llamo Presli. ¡OH, CIELOS! MacKenzie nos lo ha contado todo sobre esa banda tan guay que tiene, Aún no Estamos Seguros, y su contrato para grabar un disco. Fue un gesto MUY amable por tu parte sustituirla como voz principal mientras le extraían las amígdalas. El caso es que nos interesa que Aún no Estamos Seguros actúe en nuestra fiesta de graduación, y MacKenzie nos ha dicho que se lo pensará y ya nos dirá algo".

"¡Hola, me llamo Sol! ¡TÚ debes de ser Brandon! ¡MacKenzie y tú hacéis una pareja MONÍSIMA! No me extraña que los dos fuerais coronados príncipe y princesa de San Valentín el día del baile. MacKenzie dice que seguramente vendrás a North Hampton Hills el año que viene. ¡Ya verás, te va a ENCANTAR!".

"¡Hola!, ¿qué tal, Nikki? Me llamo Evan y soy el editor del periódico de North Hampton Hills. MacKenzie nos ha contado cómo le ayudaste con su sección de consejos SUPERpopular, Señorita Sabelotodo. Quiero convencerla para que monte algo igual con nosotros".

"Imagino que los dos extrañáis mucho a MacKenzie", dijo Presli. "¡Qué BONITO el gesto que tuvisteis de decorar su antigua taquilla! ¡Nos ha enseñado una foto y es PRECIOSO!".

"¡Sí! ¡¿A ver cuántos alumnos se harían voluntarios en Fuzzy Friends, organizarían una recogida de libros para la biblioteca escolar, patinarían sobre hielo para recaudar fondos por una causa benéfica y ADEMÁS crearían una línea de moda para animales sin hogar?".

Ahí no me he podido contener y he gritado: "¡Vaya! ¡Qué FANTÁSTICA es MacKenzie! ¡Seguro que si se tira un pedo es de PURPURINA!". Pero solo lo he dicho en el interior de mi cabeza y nadie más lo ha oído.

Estaba alucinando TANTO con todo lo que estaban diciendo que casi me caigo de la silla.

Era como si MacKenzie me hubiera USURPADO la identidad, como mínimo.

Por un momento he pensado en serio en llamar a la policía y hacer que la metieran en la cárcel.

¡MADRE MÍA!

Brandon y yo estábamos callados ¡¡pero echando HUMO!!

¡¡Estábamos TAN enfadados que teníamos la cabeza a punto de EXPLOTAR!!

Pero lo peor era que MacKenzie seguía allí de pie con su sonrisa estúpida estampada en la cara, asintiendo a todo lo que decían... ¡como si fuera VERDAD!

¡¡Hay que tener MORRO!!

Ahora ya entendía por qué había intentado escaparse antes de que la vieran.

Las cosas se podían complicar mucho y muy deprisa con DOS Nikki Maxwell en el mismo espacio.

Me daban ganas de gritar: "¡Que se ponga en PIE la VERDADERA Nikki Maxwell!".

¡¡¿CUÁL DE ESTAS NIKKIS SOY YO?!!

Brandon, que estaba hasta las narices, ha mirado hacia la puerta y se ha aclarado la garganta.

"Nikki, se está haciendo tarde, ¿nos vamos? Me ha encantado conoceros, chicos".

"A mí también. Con suerte, nos veremos pronto", he dicho en plan simpático con una gran sonrisa estampada en la cara, "¡SI MacKenzie decide dejar que SU banda Aún no Estamos Seguros toque en vuestra fiesta de graduación!".

He dirigido a MacKenzie la misma mirada que se dirige a un trozo de chicle pegado al zapato.

Y se ha visto que le entraba el pánico.

"¡Er, esperad un momento! No os vayáis aún, que tengo que, er... explicar un par de cosas".

"No hace falta, MacKenzie, ¡ya he oído bastante! Ya veo que North Hampton Hills es un colegio estupendo. De verdad que, er... me alegro por ti", he dicho.

MacKenzie ha parpadeado sorprendida. "¿Sí? ¿De verdad? ¡Pues gracias! Bueno, er... dejadme al menos que os compre otro cupcake, ya que no habéis podido terminar de comer el otro".

"Gracias, MacKenzie, pero, de verdad, no te preocupes", he contestado.

"¿Seguro? Me han dicho que los de chocolate doble son muy buenos. Pero mi favorito es el de terciopelo rojo con cobertura de crema de queso. ¡O si queréis os compro los DOS!", se enrollaba MacKenzie.

Hemos negado con la cabeza.

Ya habíamos tenido nuestra dosis máxima de PAYASADAS de MacKenzie.

Para completar su numerito solo le faltaba poner música de CIRCO.

Nos hemos apresurado hacia la puerta mientras MacKenzie seguía recitando la carta de cupcakes.

Pero de pronto se ha puesto a gritar: "¡Genial! Me lo he pasado muy bien con vosotros. ¡Yo también os echo de menos! ¡Os quiero!".

Vale, eso sí que ha sido PECULIAR. ¿En qué realidad paralela está viviendo ESA chica?

¿O es que sufre alguna enfermedad rara como, no sé, por ejemplo... DEMENCIA temprana de secundaria?

Ya en la puerta de Dulces Cupcakes, nos hemos encontrado con Chloe y Zoey, que venían a buscarnos.

"¡Chloe y Zoey! ¡NUNCA, ni en un millón de años, adivinaréis a quién hemos visto dentro!", he dicho.

En ese momento he oído unos extraños golpecitos.

Los cuatro nos hemos quedado sin habla al ver lo que hemos visto en el cristal de Dulces Cupcakes.

Hasta que Chloe y Zoey han logrado decir...

"¡¡¿NO SERÍA A... MACKENZIE?!!".

MacKenzie tenía la cara pegada al cristal y nos despedía emocionada como si estuviéramos en un barco a punto de zarpar o algo por el estilo.

Todos le hemos respondido el saludo, qué remedio.

Mis BFF la miraban aleladas.

"¿Se encuentra mal?", ha preguntado Chloe.

"¿POR QUÉ está tan... rara? ¿Y... tan amable?", ha añadido pasmada Zoey.

"Chicas, vosotras seguid sonriéndole mientras vamos retrocediendo discretamente. Ya os llamaré esta noche y os lo contaré todo", he contestado.

Brandon y yo nos hemos despedido de Chloe y Zoey y nos hemos dirigido a Fuzzy Friends.

Pensábamos estar allí una media hora hasta que pasara mi madre a buscarme.

Hacía semanas que no iba a Fuzzy Friends, aunque a mí me parecían incluso meses.

Ya en la calle, Brandon ha mirado de reojo hacia atrás, hacia Dulces Cupcakes.

"¿Sabes qué te digo? ¡Que MacKenzie me recuerda mucho a la gripe intestinal! ¡Cuando crees que ya se te ha curado, vuelve aún con más fuerza!".

"¡A mí me lo vas a decir!", he suspirado.

Era bastante obvio que MacKenzie tramaba algo. Me estremecía la idea de que podíamos ser peones de alguno de sus planes maquiavélicos.

Y me preguntaba si la enfermedad que había mencionado Brandon era CONTAGIOSA.

Porque yo tenía la terrible sensación de que también estaba a punto de contraer un caso GRAVE ¡de GRIPE MACKENZIAL!

¡¡☹!!

Por el camino, Brandon y yo hemos llegado a la conclusión de que MacKenzie siempre estaba montando NUMERITOS para estropear nuestra amistad. Incluyendo, por cierto, el horrible rumor de que él me había besado por una apuesta para ganar una pizza. La verdad es que me MORÍA de ganas de preguntárselo.

"Entonces, er, ¿es verdad que ganaste una... PIZZA?".

"Ah, lo de la pizza...". Ha puesto cara de resignación. "El señor Zimmerman dijo que una marca de cámaras fotográficas había regalado vales de una pizzería al equipo de fotógrafos del periódico. No tuvo nada que ver con... con lo que tú ya sabes". Se ha sonrojado. "Espero que no creyeras aquel rumor tan estúpido".

"¡Claro que no! No soy TAN tonta. ¡Ya sabía que MacKenzie mentía! No me creí el rumor ni por un segundo", he mentido.

Al llegar a Fuzzy Friends, he notado algo raro...

BRANDON Y YO, ¡ENCONTRÁNDONOS A UN
PERRO ABANDONADO!

Era un golden retriever hembra, preciosa, adorable y muy bien cuidada.

La perra ha ladeado la cabeza y nos ha mirado con curiosidad. Cuando nos acercábamos se ha levantado moviendo la cola y con actitud muy amistosa.

"¡Pobrecita!", he dicho. "¿Quién la habrá dejado aquí? ¿Y por qué?".

"Pues no sé, pero no me parece ninguno de nuestros perros".

Brandon se ha agachado para darle unas palmaditas en la cabeza y buscar alguna identificación en el collar.

La perra le ha lamido la mano y ha saludado con un ladrido.

Entonces nos hemos dado cuenta de que llevaba una nota en el collar.

La he desdoblado y la he leído en voz alta...

Queridos amigos de Fuzzy Friends:

Por desgracia he tenido que irme a vivir a una residencia para la tercera edad en la que no admiten mascotas.

Quiero mucho a Holly y os ruego que la cuidéis mucho a ella y a los suyos. Tengo la seguridad de que le encontraréis un hogar maravilloso.

¡Gracias por vuestra bondad!

"¿Los suyos? ¿A qué se refiere?", he dicho confundida.

"Mmm. En esa caja pone 'Para Holly'. A lo mejor han puesto ahí sus juguetes y sus cosas. Veamos", ha contestado Brandon.

Los dos hemos mirado con curiosidad en el interior de la caja...

¡¡Y NOS HEMOS QUEDADO
PASMADOS Y SORPRENDIDOS!!

¡Había un montón de CACHORRITOS monísimos que no se estaban quietos! Nos ha costado mucho contarlos, no paraban de saltar, revolcarse y correr por la caja.

¡En total había SIETE! Y eran
¡¡COMPLETAMENTE ADORABLES!!...

"Aún falta un rato para que venga mi madre.
¿Quieres que te ayude a entrarlos y a apuntarlos
en el registro?", le pregunté a Brandon.

"Sí, gracias. Aunque la verdad es que casi preferiría
saltarme el, er... papeleo".

"Pero entonces ¿CÓMO sabrá la gente que Holly
y sus cachorros están disponibles para la adopción?".

"De eso se trata precisamente. Ahora mismo no
quiero que NADIE sepa que Fuzzy Friends tiene
otros ocho animales sin hogar, ¿de acuerdo?".

"Pero ¡¿POR QUÉ?! ¡No lo entiendo!".

Brandon ha cerrado los ojos con un suspiro. "Es un
asunto serio, Nikki. ¿Estás SEGURA de que lo quieres
saber? Mira que si te lo digo, luego podría tener que
¡MATARTE!", ha bromeado con gesto serio.

"¡Madre mía, Brandon, cuéntame qué pasa!".

"Bueno. Pues resulta que, según nuestro coordinador,

Fuzzy Friends lleva toda la semana funcionando a máxima capacidad. Y, lo que es peor, ¡ya no tenemos sitio hasta el domingo por la mañana! De hecho, ya ha rechazado animales", ha explicado Brandon con el semblante cada vez más serio.

"Bueno, pues vamos a por más jaulas y ya les haremos sitio. Por ejemplo, en el almacén".

"Nikki, no es tan sencillo. La normativa municipal nos obliga a tener solo un número limitado de animales en función del tamaño del refugio".

"¡Vaya, no lo sabía!".

"Me da muchísima RABIA cuando pasa esto, porque tenemos que rechazar animales y no todos los centros de la ciudad siguen la misma política que nosotros de no sacrificarlos. Entiendes lo que significa, ¿no?". Se ha quedado callado y triste moviendo la cabeza.

Yo he tardado unos segundos en entenderlo. ¡Y se me ha caído el alma a los pies!

"¡OH, NO!", me he lamentado. "Si Fuzzy Friends no tiene sitio, significa que Holly y sus cachorros no se pueden quedar aquí. Pero ¿qué pasaría si acaban en...?".

La sola idea me HORRORIZABA. Ni siquiera me salían las palabras.

"¿... alguno de esos OTROS sitios?", he balbuceado. "Brandon, ¡¡no PODEMOS permitirlo!! ¡¿Qué podemos hacer?!".

"Pues supongo que nos los podemos quedar sin que lo sepa nadie. Ni siquiera nuestro coordinador. Es una infracción que podría obligarnos a cerrar el refugio, entiendo que esté preocupado. Pero tampoco puedo permitir que Holly y sus cachorros corran ese riesgo. NUNCA JAMÁS me lo perdonaría si...". Se le ha quebrado la voz mientras abrazaba a Holly y hundía la cara en su pelaje.

La perra ha mirado a Brandon con pena y ha gemido.

Le ha lamido la cara como si fuera una piruleta, hasta que Brandon no ha podido contener una gran sonrisa...

¡¡BRANDON, LA PIRULETA HUMANA!! ¡¡☺!!

Era como si Holly fuera consciente de la grave
situación en la que se encontraban ella y sus
cachorros y no quisiera que Brandon se preocupara.

A Brandon le han empezado a brillar los ojos. Ha pestañeado y se ha secado corriendo las lágrimas.

"Brandon, ¿estás bien?".

"Sí, sí, me parece que me ha entrado algo en el ojo. Estoy... bien", ha mascullado.

¡Estaba claro que MENTÍA! El pobre estaba como si le hubieran arrancado el corazón directamente del pecho. He sentido un nudo en la garganta y también me han venido ganas de llorar.

Sentía mucha pena por mi amigo y por los ocho perros abandonados de los que ya se había enamorado. ¡Pero de pronto he sentido una ráfaga de energía! ¡NO pensaba rendirme sin LUCHAR! "Mira, Brandon, ¡cuenta conmigo para lo que haga falta! ¡Tú solo dime qué tengo que hacer!".

Brandon ha ladeado la cabeza y me ha mirado incrédulo. "Nikki, ¿¡lo dices en SERIO?!".

"¡Tan en SERIO como que me llamo Nikki!".

Ha sonreído de oreja a oreja. "¡Tienes razón! ¡Supongo que SIEMPRE puedo contar contigo, Nikki!".

Nos hemos chocado los cinco para confirmar nuestro juramento de mantener a salvo a Holly y sus cachorros hasta que les encontráramos buenos hogares.

"Espero que sepas guardar un secreto", ha dicho Brandon con su sonrisa ladeada.

Sin embargo, de repente hemos visto que la misión que teníamos por delante se iba a complicar mucho más de lo que NUNCA habríamos imaginado...

"¡OH, CIELOS! ¿HAS DICHO 'SECRETO'?", ha exclamado una voz chillona detrás de nosotros.

Del susto que nos ha dado casi nos caemos de espaldas. NO podía creer que alguien hubiera estado espiando nuestra conversación tan personal y privada. Nos dimos la vuelta ENCOGIDOS. ¡¡Yo rezaba para que NO fuera quien más me TEMÍA!!

Pero, por desgracia, ¡¡ERA ella!!...

¡MACKENZIE! ¡¿OTRA VEZ?! ¡¡☹!!

¡Era el segundo ATAQUE DE MACKENZIE VIVIENTE del día!

¡De repente he tenido la desagradable sensación de que nos estaba ACOSANDO o algo por el estilo!

"¡¡Venga, chicos, contadme el GRAN SECRETO!! Podéis confiar en mí, prometo que no se lo diré a nadie. Espero que no estéis metidos en ningún LÍO, ¿verdad?", ha preguntado con recelo.

Brandon y yo nos hemos mirado preocupados y luego hemos mirado nerviosos hacia MacKenzie.

Era obvio que los dos pensábamos EXACTAMENTE lo mismo...

¡¡AY, MADRE!!
¡¡¡☹!!!

"MacKenzie, ¡¿QUÉ haces TÚ aquí?!", he exclamado por SEGUNDA vez en un mismo día.

"¡Nikki, no es culpa MÍA que esos IDIOTAS de mi colegio lo hayan entendido todo al revés! Pero el accidente SÍ que ha sido culpa mía, y por eso he querido venir en persona a daros esto", ha dicho abriendo su bolso de marca y sacando una cajita de cupcake. ¡No podía creer lo que veía! ¿De verdad que MacKenzie iba a hacer algo BUENO por una vez en la vida?

"¿Estás diciendo que SOLO has venido aquí para entregar un cupcake?", preguntó escéptico Brandon.

"¡Venga, no seas ridículo! ¿No creerás que he venido a ESPIAROS? ¡POR-FA-VOR! Tengo cosas mucho más IMPORTANTES que hacer, como quitar el polvo a mi FABULOSA colección de zapatos".

"Vale, a ver si lo entiendo. ¿NOS has traído otro cupcake?", he preguntado alzando una ceja.

MacKenzie ha negado con la cabeza y se ha reído sarcásticamente...

"¡MADRE MÍA, MacKenzie! ¡¡NO tenías por qué HACERLO!!", he mascullado.

No sabía qué daba más ASCO, si aquel cupcake nauseabundo o las ganas de vomitar que yo acababa de reprimir.

"¡No hay de qué!", ha dicho MacKenzie sonriendo.

"No, en serio, ¡NO DEBERÍAS haberlo hecho! ¡Qué ASCO, por favor! ¿QUÉ es esa cosa verde pringosa?", he preguntado.

"¡Ni idea!", ha contestado MacKenzie encogiéndose de hombros. "La camarera había limpiado vuestra mesa y había tirado el cupcake a la basura, ¡pero yo lo he rescatado para poder devolvéroslo a los dos TORTOLITOS!".

¡PUAJ! He tenido que aguantarme las ganas de vomitar.

Brandon y yo hemos puesto cara de paciencia. Estaba claro que MacKenzie tenía alguna carta escondida en la manga y nos estaba mareando.

"¿Qué ocurre? No os veo muy contentos", se ha burlado.

"¿Cómo vamos a estar contentos?", le he dicho. "¡Si prácticamente nos estás ACOSANDO!".

"¡Mira la que todo lo sabe! ¿No será que he decidido tomar una ruta alternativa para ir a casa?".

"¡MacKenzie, nos estabas ESPIANDO!", he insistido entrecerrando los ojos. "¡Confiésalo!".

"¡Calla, Nikki! ¡Tengo una explicación perfecta! Estaba, er...". Ha dudado.

MacKenzie se ha quedado ahí plantada pensando y haciendo muecas, toda ella tan ridícula que parecía que sufría un grave episodio de diarrea.

"¿Ya? ¡Estamos ESPERANDO!", he dicho impaciente.

"En realidad... estaba, er... ¡BUENO!", ha dicho poniendo los brazos en jarras. "¡¿Y qué si os estaba ESPIANDO?! ¡Ni que vosotros fuerais tan PERFECTOS! De hecho sois unos ¡ILEGALES, unos INFRACTORES de las normas de los refugios de animales! ¡Estos chuchos sarnosos, er, quiero decir... estos POBRECITOS perros corren un gran... PELIGRO! ¡Menos mal que he llegado a tiempo para... SALVARLOS!".

Brandon y yo nos hemos quedado sin habla...

"¿Lo has OÍDO?", he dicho controlando mi pánico.

"¡Sí, todos y cada uno de los DETALLES! Espero que vuestro secretito no llegue a oídos del equipo de investigación del Canal 6", ha dicho MacKenzie. "¡Porque Fuzzy Friends perdería la licencia y tendría que cerrar! Y todos esos CHUCHOS pulgosos acabarían en la calle. Y probablemente ¡los ATROPELLARÍAN! ¡O algo peor! ¡Y todo porque VOSOTROS os habéis querido saltar el reglamento!".

Brandon se ha quedado como si MacKenzie le acabara de dar un bofetón, mirando el suelo.

Las duras palabras y acusaciones de MacKenzie le habían consumido la energía (y las buenas intenciones).

"Brandon, ¡de TI sí que no me lo esperaba! ¡Creía que eras honesto!", le ha regañado MacKenzie mientras él agachaba la cabeza avergonzado.

"Pero ¿a ti QUÉ te pasa, MacKenzie?", he gritado indignada. "Ya te han llevado al colegio con el que soñabas y tienes todo lo que querías.

¿Por qué SIGUES queriendo DESTRUIR todo lo que se mueve?".

"¡Pues no lo sé!", ha dicho con suficiencia mientras buscaba el móvil. "Será la fuerza de la costumbre".

Desesperada, he intentado razonar con ella.

"MacKenzie, ¿no ves que está en peligro la vida de estos inocentes animales? ¡No todos los refugios de la ciudad son seguros!", he dicho intentando no llorar.

Creo que Holly ha sentido mi enfado, porque de pronto ha enseñado los dientes, ha gruñido y ha empujado a MacKenzie.

Brandon la ha agarrado por el collar justo a tiempo. "¡Quieta, quieta! ¡Cálmate, no pasa nada!".

Asustada, MacKenzie ha retrocedido para distanciarse de Holly. "¡Esa perra ha intentado ATACARME! ¡Mantenedla alejada de mí o llamaré al servicio veterinario municipal! Esa bestia salvaje es... ¡PELIGROSA!".

¡MADRE MÍA! ¡Estaba TAN enfadada que hubiera mandado a MacKenzie a la Luna de un tortazo!

¡NO, MACKENZIE! ¡¡LA BESTIA SALVAJE ERES TÚ!!

"¡Lo dices como si fuera MALO!", ha dicho burlándose mientras marcaba un número en el móvil.

Y luego ha hecho lo que creía que no se atrevería a hacer.

Y eso que parecía que no podía caer más BAJO.

"¿Oiga? ¿Es la línea directa del Canal 6? Acabo de descubrir información muy delicada sobre un refugio de animales. ¡Creo que los MALTRATAN! Sí, espero".

A Brandon se le veía abrumado y totalmente derrotado.

Se ha sentado en el bordillo, con mirada de zombi y acariciando a Holly en silencio.

Por culpa de MacKenzie, Brandon estaba a punto de perder DOS cosas en las que había puesto el CORAZÓN...

Fuzzy Friends y Holly y sus cachorros.

Su noble SUEÑO de ayudar a los animales y darles refugio se estaba convirtiendo muy deprisa en su

PEOR
PESADILLA.

¡¡Y no podíamos hacer nada!!

¡¡☹!!

¡Pero diciendo que lo que ha pasado era una pesadilla me quedo CORTA! ¡¡☹!!

MacKenzie estaba esperando al teléfono para denunciar a Fuzzy Friends y hacer que lo cerraran.

Tenía que hacer ALGO, pero ¡¿QUÉ?!

Al final se me han ocurrido cuatro ideas. Por desgracia, todas tenían algún INCONVENIENTE...

1. EL MÓVIL APESTOSO: Podría arrancarle a MacKenzie el móvil y tirarlo a la alcantarillla que había junto al bordillo. Así no tendría teléfono para denunciarnos.

Pero yo podría acabar en la CÁRCEL por destrucción de propiedad. Y, aún peor, para COMPRARLE otro móvil exclusivo como el suyo, ¡tendría que darle mi paga semanal durante trece años, nueve meses y dos semanas! ¡☹!

2. **LA CAZA DE LA DIVA:** Estaba claro que a Holly no le caía bien MacKenzie. Podría cortarle la llamada y hacer que Holly se ejercitara un poco corriendo tras una MacKenzie histérica hasta la puerta de casa.

¡Pero seguro que eso sería MALTRATO ANIMAL! ¡Y también un poquito de maltrato a Holly!

3. **EL ATAQUE DEL CUPCAKE VENGADOR:** Podría hacerle tragar a MacKenzie el asqueroso cupcake. Así no PODRÍA hablar sobre Fuzzy Friends (y, de paso, sobre nada más).

¡Pero la idea me daba un poco de ASCO! Y a lo peor acabábamos en urgencias para la extirpación quirúrgica del cupcake y de mi brazo de la garganta de MacKenzie.

4. **LA ESCAPATORIA PAYASA:** Podría convencer a Brandon de que se escapara conmigo y los perros y nos apuntáramos al circo. Nos pasaríamos el resto de la vida actuando de payasos con unos trajes MONÍSIMOS...

¡¡BRANDON, LOS PERROS Y YO
ESCAPÁNDONOS Y APUNTÁNDONOS AL CIRCO!!

Pero extrañaríamos la familia y los amigos. ¡Además creo que en verano HUELEN MUY MAL!

Los CIRCOS, claro, no la familia y los amigos.

Tras mucho pensarlo, he llegado a la conclusión de que el Ataque del Cupcake Vengador era posiblemente la MEJOR idea de todas.

¡¡BUENO, CASI!! ¡¡☹!!

¡La situación era DESESPERADA!

¡Mi madre estaba a punto de llegar y yo tendría que despedirme de Holly y sus cachorros PARA SIEMPRE!

He suspirado con tristeza y conteniendo las lágrimas.

Empezaba a plantearme en serio el Ataque del Cupcake Vengador cuando he tenido una idea BRILLANTE.

Era muy difícil, pero ¡era nuestra única esperanza!

"Bueno, Brandon, parece que por culpa de MacKenzie Fuzzy Friends tendrá que cerrar pronto", he dicho lo bastante alto para que ella lo oyera.

MacKenzie, que SEGUÍA a la espera, me ha lanzado una mirada engreída.

¡MADRE MÍA! Lo que hubiera dado por BORRARLE esa bobalicona sonrisa de superioridad. Pero me he aguantado.

"En fin, el caso es que todo este lío me ha abierto el apetito. Creo que voy a volver a Dulces Cupcakes para probar algunos de esos cupcakes tan increíbles que nos ha recomendado MacKenzie".

Lógicamente, Brandon me ha mirado como si me hubiera vuelto loca.

"¡Nikki! ¡¿CÓMO puedes pensar en CUPCAKES en un momento así?!", ha exclamado.

"¿Qué quieres que te diga? ¡Tengo HAMBRE! En cualquier caso, aprovecharé para hablar un rato con los nuevos amigos de MacKenzie, los de North Hampton Hills. ¡Parecían MUY amables! Y tengo muchas ganas de oír aún más MENTIRAS de esas estupendas que MacKenzie les ha dicho. ¡¡Claro que ALGUIEN tendrá que abrirles los ojos y decirles la VERDAD!! ¿Vienes, Brandon? ¡Nos REIREMOS un rato!".

Brandon lo ha pillado por fin y me ha sonreído.

"¡Claro, Nikki! Pero antes déjame guardar los perritos. Ahora que lo pienso, ¡MATARÍA por un cupcake Dulce Venganza del Diablo!".

MacKenzie ha bajado el móvil y nos ha lanzado una MIRADA FURIOSA y diabólica.

"¡Ni se os ocurra ir a hablar MAL de mí a mis nuevos amigos! Es más, ¡¡¡IRÉ con vosotros!!".

"¡No puedes! ¡Tú tienes que QUEDARTE a salvar la vida de los POBRES perritos!", le he dicho con sarcasmo.

"¡Como si a mí me importaran esos chuchos sarnosos!".

71

¡¡Llevo una ETERNIDAD a la espera!! ¡Me niego a perder más tiempo con esta estúpida llamada!

¡CLIC!

MacKenzie ha colgado enfadada y ha guardado el móvil en el bolso de mala manera.

Luego nos ha dicho, entornando mucho los ojos: "¡Más os vale no acercaros a mis amigos o me aseguraré de que no volváis a ver nunca más estas bolas de pelo pulgosas!".

"¿De verdad? ¿Es una AMENAZA?", me he burlado.

"¡NO! ¡¡Es una PROMESA!!", ha contestado.

Se ha dado la vuelta para dirigirse hacia Dulces Cupcakes y ha cruzado la calle contoneándose.

¡Qué RABIA me da que haga eso!

Viéndola marcharse, Brandon y yo hemos suspirado aliviados.

¡Menos mal que los perros estaban a salvo!

Al menos por el momento.

Brandon se ha apartado las greñas del flequillo y me ha mirado durante, no sé, una ETERNIDAD.

"¡¡¿QUÉ?!!", le he preguntado a la defensiva.

Una sonrisa le ha invadido lentamente la cara hasta que la ha ocupado de oreja a oreja.

"¿Cómo te lo has hecho para parar así a MacKenzie? Yo ya me había rendido. De verdad que te AGRADEZCO mucho lo que acabas de hacer".

Le he mirado a sus grandes ojos marrones y he visto que lo decía con sinceridad.

Me ha invadido una emoción enorme y se me ha hecho un gran nudo en la garganta. Pero, más que nada, me sentía muy bien por haber podido ayudar a Brandon y haber estado con él cuando le había hecho realmente falta.

Me he encogido de hombros nerviosa y me he puesto a balbucear como si hubiera perdido un tornillo. "¡Gracias, Brandon! ¡Pero el que salva vidas aquí eres TÚ! Y cuando les hayamos encontrado hogar a estos perritos ¡serás un HÉROE! Además eres buena persona, un buen amigo y... er, ¡seguro que hasta te tiras pedos de purpurina!".

¡SÍ! ¡¡De verdad que le he dicho ESO a Brandon!!

No sé cómo ha salido de mi boca. ¡Qué VERGÜENZA!

¡Pero los dos nos hemos reído mucho con la tontería que acababa de decir!

"Venga, vamos a meter los perros en el refugio. Seguro que están muertos de hambre", ha dicho Brandon mientras alzaba la caja de los cachorros.

¡Y tenía razón! Holly ha devorado su comida y luego ha alimentado pacientemente a sus hambrientos cachorros.

Después los cachorros se han puesto a jugar metiéndose en los cuencos de pienso como si fueran piscinas de bolas...

¡BRANDON Y YO DANDO DE COMER
A HOLLY Y SUS CACHORROS!

Aunque prácticamente habíamos impedido una tragedia, TODAVÍA teníamos que encontrar un plan.

¡A saber cuándo rebrotaría la temida GRIPE MACKENZIAL!

Para la que, por desgracia, ¡¡no hay VACUNA!!

Sabiendo lo intrigante y conspiradora que es la SERPIENTE de MacKenzie, dejar a los perros en Fuzzy Friends el resto de la semana era demasiado arriesgado.

Entonces se me ha ocurrido otra idea
BRILLANTE.

"¡Oye, Brandon! ¿Por qué no nos turnamos para
cuidar a los perros en nuestras CASAS hasta el
domingo, cuando ya quedará sitio para ellos en
Fuzzy Friends?".

"Pues no sé qué decirte, MacKenzie. Un perro
ya es una GRAN responsabilidad, ¡imagínate lo
AGOTADOR que sería cuidar a ocho!".

"Sí, pero solo es UNA perra y siete cachorros. Y,
estando su mamá que los alimenta y los cuida, no
hace falta hacer mucho más. ¡Venga, Brandon!".

Tras pensarlo un poco, al final Brandon ha
aceptado. "¡De acuerdo, Nikki! Yo me los llevo el
primer día porque ya los tenemos aquí. Pero habrá
que buscar más voluntarios".

Yo sabía que MI madre ME dejaría quedarme los
perros por un día. ¡Porque no hace ni quince días
dejó a la mimada de mi hermana Brianna traer a

casa al pez Rover (la mascota de la clase) durante TODO un fin de semana!

"¡Estoy segura de que yo también me los puedo quedar un día!", he dicho emocionada. "¡Ahora solo nos faltan DOS personas más!".

"¡Genial!", ha exclamado Brandon sonriendo. "¿Por qué no hablas con Chloe y con Zoey y yo hablo con los chicos? ¡Creo que el plan puede funcionar!".

Total, ¡estoy SUPERemocionada porque siempre quise un perro! Si tuviera uno, lo querría y lo abrazaría ¡¡y NUNCA JAMÁS me separaría de él!! ¡¡YAJUUUUU!! ¡¡☺!!

¡¡¡Y AHORA tenía la oportunidad de cuidar de Holly y sus siete adorables cachorritos chiquititos, cuchicuchis y monísimos durante veinticuatro horas SEGUIDAS!!!

Tan difícil no sería, ¿verdad?

¡¡¡☺!!!

Bueno, pues tengo [una NOTICIA BUENA y una NOTICIA MALA! Empecemos por la BUENA.

Cuando le he contado a Chloe y a Zoey que Brandon y yo habíamos encontrado a Holly y los cachorros abandonados en la puerta de Fuzzy Friends, se han ofrecido a ayudar emocionadísimas.

El plan es el siguiente: Brandon se quedará los perros esta noche; yo, mañana por la noche; Chloe, el viernes por la noche y Zoey se los quedará el sábado por la noche.

Y el domingo por la mañana devolveremos los perros a Fuzzy Friends para que les puedan buscar un hogar.

Como resulta que sus padres son los propietarios de la cadena de pizzerías Queasy Cheesy, Theodore Swagmire nos ha ofrecido una furgoneta de reparto con conductor y todo para transportar a los perritos adonde haga falta.

Vale, ¡ahora la NOTICIA MALA! ¡¡☹!!

Todo iba según lo planeado hasta que me ha surgido una COMPLICACIÓN totalmente imprevista, ¡una complicación GORDA y ENORME! ¡☹!

Hoy después de cenar, mientras ayudaba a mi madre a cargar el lavavajillas, he visto la ocasión para hablarle como si nada del temita perruno.

Le he dicho que, por una emergencia familiar, un buen amigo mío necesitaba que alguien le cuidara la perra, Holly (esto era más o menos verdad).

Y le he ~~pedido~~ ROGADO que POR FAVOR me dejara cuidarla la noche del jueves.

Lógicamente, me he saltado la parte de los siete cachorros revoltosos que acompañan a la madre. ¡No quería que la mía FLIPARA con ese detalle tan nimio!

Sin embargo, la que ha FLIPADO al cabo de un minuto he sido YO...

MI MADRE Y YO EN PLENA CONVERSACIÓN.

¡¡Su TERRIBLE excusa de que era "un mal momento" no tenía ninguna LÓGICA!!

Si la perra tiene algún pequeño accidente en la alfombra... ¡¿Qué más da si es mañana o dentro de DOS MESES?!

¡En los dos casos se limpia y ya está! ¡ANDA QUE NO!

Perdona, mamá, pero a Brianna le dejaste traer una mascota a dormir, ¡¡¿POR QUÉ a mí no?!!

¡NO es justo!

Sobre todo porque yo soy MAYOR, más MADURA y diez veces más RESPONSABLE que Brianna.

Además, ella mató accidentalmente al pobre pez Rover cuando le dio un baño de burbujas, ¿recuerdas?

¡¡¿A QUIÉN se le ocurre?!!

Mamá, si TÚ fueras un ANIMAL, ¡¿cuál de estas dos personas querrías que TE cuidara A TI?!...

SELECCIONE LA CUIDADORA DE MASCOTAS PERFECTA:

□ BRIANNA, CUIDANDO DEL PEZ ROVER

□ YO, CUIDANDO DE LA PERRA HOLLY

¡¡Me lo imaginaba!! ¡¡Pues AHÍ LO DEJO!!

Mamá, no QUIERO cuidar de Holly "quizá dentro de unos meses".

¡¡Quiero cuidar de ella AHORA!!

¡¿Quién sabe si para entonces no me habré MUERTO?!

Y ya te imagino en mi funeral llorando a MOCO TENDIDO y gritando histérica que NUNCA JAMÁS te perdonarás por NO haberme permitido traer una mascota a dormir, sobre todo después de haberle dejado a Brianna, que es mucho más pequeña que yo.

O sea que gracias, mamá, por ARRUINAR mi vida, poniendo en peligro a ocho perros inocentes y haciendo caer por los SUELOS mi AUTOESTIMA, que seguro que tardaré AÑOS de terapia intensiva en recuperar.

¡Porque es obvio que QUIERES a Brianna mucho más que a mí! ¡¡☹!!

Tengo que enviar a Brandon un mensaje con la mala noticia de que mi madre no me deja traer a los perros.

Se va a sentir muy decepcionado. Me da mucha pena dejarlo plantado así.

Aunque ahora mismo estoy demasiado enfadada para nada más.

Mi único plan es pasar el resto de la noche sentada en la cama, MIRANDO la pared y DÁNDOME LÁSTIMA.

¡¡¡☹!!!

¡¡AAAAAAAAAAAAAAAH!!

(¡¡Esa era yo estirándome de los PELOS!!)

Tengo un proyecto importante de biología para mañana, que vale un treinta por ciento de la nota. La semana pasada se pusieron las cosas tan LOKAAAS que ¡lo había olvidado DEL TODO!

Lo ÚLTIMO que quería hacer era dejarlo para el final y hacerlo todo deprisa y corriendo la noche antes, como hice con el informe de lectura de _Moby Dick_ en diciembre.

Grabé un vídeo muy tonto con Brianna haciendo de ballena y gritando "¡¡GRRRR!!". ¡Por eso aluciné al ver el sobresaliente que me pusieron! ¡☺!

He decidido dejar de darme LÁSTIMA para ponerme con el proyecto de bío. El problema es que no tenía la menor idea de qué hacer.

En ese momento mi madre ha gritado: "¡Nikki! ¡No olvides sacar la ropa de la secadora, doblarla y guardarla ANTES de irte a la cama!"...

YO, SACANDO LA ROPA DE LA SECADORA.

En la colada había cuatro pares de esos calzoncillos largos que mi padre se pone para trabajar los días que hace frío.

De hecho se parecen mucho a los peleles que usan los bebés para dormir.

Cuando estaba doblando el último ¡se me ha ocurrido de pronto una idea superbrillante!

Como tiene cuatro pares, he pensado que a mi padre no le importaría si le tomaba prestado uno para mi proyecto de bío.

Después de todo, siempre anda con el mismo sermón de lo importante que es para mí sacar buenas notas para poder obtener una beca en alguna de las grandes universidades.
Y técnicamente, sus calzoncillos largos iban a ayudarme a sacar buena nota, ¿¿O NO??

¡Total, que los he confiscado, he preparado pintura y marcadores, he abierto el libro de biología y me he sentado a trabajar a la mesa de la cocina!...

YO, CONCENTRADA TRABAJANDO EN
~~LOS CALZONCILLOS LARGOS DE MI PADRE~~
¡EL PROYECTO DE BÍO!

Al final he terminado el proyecto poco antes de
medianoche, y creo que ha quedado bastante bien.

Sobre todo, teniendo en cuenta QUE se ha basado en una idea extravagante que he tenido mientras doblaba la ropa. Con un aprobado estaré más que contenta.

En fin, ahora que ya tengo mi proyecto de bío hecho, puedo volver a lo de darme LÁSTIMA. ¡¡☺!!

¡No puedo creer que la mujer que me dio a luz haya dejado a Brianna traer una mascota a casa a dormir pero NO me deje a MÍ a hacer EXACTAMENTE LO MISMO! ¡☹!

¡¡Qué INJUSTA es la vida!!

Será mejor que le dé la mala noticia a Brandon mañana.

Espero que pueda encontrar a alguien para sustituirme.

¡¡☹!!

Temía el momento en el que tendría que a decirle a Brandon que no podía cuidar a los perros.

Y el hecho de que me estuviera esperando tan contento en mi taquilla no me ha ayudado nada. ¡Encima no paraba de hablar de lo bien que estaban los perros!

Cuando por fin he reunido el valor suficiente para darle la mala noticia, le he interrumpido diciendo: "Er, Brandon, te quería decir algo".

Pero ha contestado: "¿Ah, sí? ¡Es que yo también TE quería decir algo!".

¡¡Y se ha puesto a proclamar lo agradecido y afortunado que se sentía de tenerme como amiga!!

Lo que me hacía aún MÁS DIFÍCIL darle la noticia.

Luego ha dicho: "Quedamos en que te dejaré los perros en casa en cuanto acaben las clases, ¿vale?".

Y, sin darme tiempo a contestarle "La verdad, Brandon, es que ¡¡NO puedes dejar los perros en mi casa!! Llevo diez minutos intentando decírtelo", va y me dice: "¡Hasta luego, Nikki! ¡Nos vemos en bío!" y ha desaparecido por el pasillo repleto de gente.

¡Todo ha sido TAN FRUSTRANTE! ¡¡¡☹!!!

Ahora tendría que intentar OTRA VEZ explicárselo todo cuando lo viera en bío.

Pero justo antes de la clase de bío he ido al cuarto de baño de chicas para ensayar delante del espejo cómo le iba a dar la mala noticia.

El problema es que he ensayado demasiado tiempo y he acabado llegando cuatro minutos tarde a bío, es decir, ¡he VUELTO a perder la oportunidad de decírselo!

SABÍA que la profesora se enfadaría un MONTÓN conmigo por entregar mi proyecto tarde, y a lo peor hasta me quitaba puntos.

¡Pero entonces ha pasado algo extrañísimo!

¡A mi profesora le ha ENCANTADO mi proyecto!

Ha dicho que, además de creativo, era muy realista.

De hecho, le ha gustado tanto que ha pedido algún voluntario que se lo PUSIERA mientras ella daba la lección de hoy sobre el cuerpo humano.

Y se ha puesto a esperar pacientemente a que algún voluntario o voluntaria levantara la mano.

Yo ya sabía que estaba perdiendo el tiempo.

¡Ya me dirás quién puede ser tan TONTO como para ponerse los calzoncillos largos de mi padre pintados con la ANATOMÍA HUMANA delante de una clase entera de secundaria!

Vale, es verdad.

Lo diré de otra forma...

¡¿QUIÉN, aparte de MÍ, puede ser tan TONTO?!...

¡¡CHICOS, MIRAD CÓMO ES
LA HUMILLACIÓN TOTAL!!

La mayor parte de la clase debía de encontrar muy divertida la lección, porque no han parado de reír por lo bajo y por lo alto mientras he estado ahí delante.

¡MADRE MÍA! ¡Me moría de VERGÜENZA!

Parecía... un TIPO RARO que a consecuencia de, no sé, un accidente de paracaídas muy grave... ¡me había dado la vuelta como un calcetín!

Después de clase la profesora me ha dado las gracias por preparar un proyecto tan bueno y compartirlo con mis compañeros.

Y me ha recomendado que participara en la feria de ciencias municipal que se celebrará mañana en nuestro instituto después de clase.

¿Te imaginas? ¡¿Pasar semejante HUMILLACIÓN delante de TODA la ciudad?!

Ahí no he podido contenerme y he gritado: "¡Lo siento, señora Kincaid! Pero ahora mismo no puedo hablar de la feria de ciencias. ¡¡Tengo que salir corriendo afuera a cavar un agujero muy profundo para meterme dentro y MORIRME!!".

Pero solo lo he dicho en el interior de mi cabeza y nadie más lo ha oído.

Ahora mismo estoy escondida en el cuarto de baño de chicas escribiendo todo esto.

Supongo que no podré volver a hacer la colada NUNCA MÁS. ¿QUE POR QUÉ?

¡¡Porque soy ALÉRGICA a los CALZONCILLOS largos!!

Encima, al final no he podido hablar con Brandon.

¡Así que he decidido NO contarle nada!

Me quedaré con los perros tal como estaba previsto.

Los tendré ESCONDIDOS todo el tiempo en mi habitación y mis padres ni se enterarán de que están en casa.

Estoy segura de que los cachorros estarán tranquilos en su jaula y se pasarán el día comiendo y durmiendo.

Además, tendrán a su mamá allí para vigilarlos, es decir, ¡MENOS trabajo para mí!

Por otra parte, ¡solo los tendré ESCONDIDOS en mi habitación durante veinticuatro horas!

¡Tan difícil no será, ¿verdad?!

¡¡☺!!

¡Hoy creía que las clases no se iban a acabar NUNCA! Me MORÍA de ganas de ir a casa para poder dejarlo todo a punto para Holly y sus cachorros.

Primero he limpiado mi habitación (para que ningún perrito acabara mordisqueando la pizza mohosa que llevaba diez días bajo la cama). Luego la he dejado a prueba de cachorros (la habitación, no la pizza).

Y, por si acaso a Brianna se le ocurría ESPIAR cuando llegara a casa, he dejado suficiente espacio en mi armario para esconder la jaula con los perros.

Cuando por fin ha aparecido Brandon con ellos, los he subido corriendo y emocionada a mi habitación.

¡MADRE MÍA! ¡Eran tan MONÍSIMOS que casi me derrito en un charco de... babas pegajosas!

Cuando han venido Chloe y Zoey a visitarme, también se han enamorado de inmediato de los perritos...

¡¡CHLOE Y ZOEY CONOCEN A LOS PERROS!!

Holly y uno de los cachorros estaban echando un sueño, mientras los otros seis correteaban por la habitación, haciendo toda clase de travesuras.

El más pequeño se estaba acurrucando con el osito de Brianna, otro mordisqueaba un calcetín de deporte y otro jugaba al escondite debajo de mi cama.

¡¡Eran TAN monos!! ¡☺!

Les he dicho a Chloe y Zoey que lo único que me preocupaba era tener que dejarlos solos en mi cuarto mucho rato seguido, como durante las comidas.

Y Chloe me ha contado que ella también lo había pensado y se le había ocurrido la solución PERFECTA. Ha rebuscado en su mochila y ha sacado lo que parecían dos móviles antiguos.

Y ha dicho...

¡CHLOE ME PASA UN PAR DE VIGILABEBÉS
PARA LOS PERROS!

Eran los que había utilizado la madre de Chloe con su hermanito cuando era pequeño.

Chloe me ha explicado que tenía que dejar el emisor en mi habitación con los perros y llevarme conmigo el receptor.

Así podría oír lo que estaban haciendo todo el tiempo. ¡¡¿A que es GUAY?!! ¡☺! El vigilabebés era una idea genial que nos iba a facilitar MUCHO el cuidado de los perritos.

"Hasta que no los uses, será mejor que los escondamos en alguna parte", ha dicho Chloe recorriendo el cuarto con la mirada. Ha visto mi mochila sobre la silla y ha guardado los vigilabebés dentro. "¡Perfecto!".

"¡Gracias, Chloe! Ahora solo me faltaría librarme de mis padres toda la noche. ¡Me da miedo que oigan a los perros!".

Zoey me ha contestado entonces que eso ya lo había pensado y que se le había ocurrido la solución PERFECTA.

Ha buscado algo en el bolso. "Ten, Nikki, ¡¡DOS ENTRADAS PARA EL CINE!!", ha exclamado.

"¡Gracias, Zoey! Pero ¿cómo quieres que lleve a ocho perros al CINE?", he preguntado sin entender nada.

"¡No, tonta, NO son para TI! ¡Son para tus PADRES! He comprado entradas para la precuela del nuevo taquillazo de ciencia ficción. ¡Dura tres horas y media! Entre que van y vuelven, tus padres van a estar más de media noche fuera de la casa ¡Y TAMBIÉN fuera de juego!".

¡Les he dado a Chloe y a Zoey un enorme ABRAZO! ¡¡Son las MEJORES BFF DEL MUNDO!!

Gracias a ellas, ¡¡yo iba a ser la CUIDADORA DE MASCOTAS PERFECTA!!

Al principio no pensaba decirle nada de los perros a Brianna.

Básicamente porque tiene la mala costumbre de CONTÁRSELO todo a nuestros padres.

Pero hubiera sido imposible ocultarles ocho perros a mis padres sin un poquito de ayuda.

No me quedaba más remedio que confiar en ella.

¿Sabéis que es la ÚNICA cosa más agotadora que cuidar de Brianna?

Cuidar de SIETE briannitos con orejas más grandes y algo más de pelo en el cuerpo.

Por eso no me sorprendió nada que cuando se conocieron aquello fuera un amor a primera vista...

¡BRIANNA CON HOLLY Y LOS CACHORROS!

No me había dado cuenta de lo mucho que tenían en común los cachorros y ella:

1. Son muy ruidosos y huelen un poco.

2. No se están quietos, son desordenados y me siguen por toda la casa.

3. Les iría bien aprender a usar mejor el orinal.

Y

4. ¡¡Consiguen prácticamente todo lo que quieren porque son increíblemente MONOS!!

¡En realidad Brianna y ellos parecen hermanos de diferente madre!

Lo malo es que ahora me está agobiando sin parar porque quiere "jugar con los perris".

Estaba tan tranquila en la cocina haciendo los deberes de geometría cuando ha entrado Brianna.

"¡Nikki! ¿Puedo dejar salir a los perris de la jaula y jugar con ellos un ratito?
¡PORFA! ¡PORFA! ¡PORFA!
¡PORFA! ¡PORFA!".

"No hasta que yo acabe los deberes, Brianna.
Si se les deja salir de la jaula, hay que vigilarlos muy de cerca, porque, si no, se pueden meter en líos".

Brianna se ha llevado la mano a la barbilla para pensar en lo que le he dicho. "¿Líos? ¿Qué clase de líos?", ha preguntado.

"Brianna, si dejas salir a los perritos de la jaula, ¡se pueden meter en toda CLASE de líos! ¿Lo entiendes?".

"¿Te refieres a líos como romper los cojines, cavar entre las plantas de mamá y hacer caca en el sillón preferido de papá?", ha preguntado como si nada, y luego ha pestañeado con cara inocente.

Me he vuelto para mirar incrédula a mi hermanita.

"¡Brianna! ¿¡No me digas que has dejado salir a los cachorros de la jaula?!", he gemido cerrando el libro de golpe.

Iba a ser IMPOSIBLE acabar los deberes mientras cuidase a ~~ocho~~ NUEVE animales desbocados.

"¡Vale! Si NO quieres que te diga que he dejado salir a los perritos, ¡NO TE LO DIGO! ¿Me puedes dar una galleta?", ha dicho Brianna tan contenta.

¡MADRE MÍA! Estaba TAN enfadada con ella que me habría desahogado gritando contra un cojín.

Pero no podía, porque los perritos estaban entretenidos sacando el relleno de todos los cojines.

Había algodón por toda la casa.

Parecía que hubiera habido un temporal de nieve directamente en el salón.

De pronto, Brianna ha señalado algo...

"¡¡GENIAL!!", he dicho con un suspiro. "Vale, Brianna, ha llegado tu oportunidad. Cuida de los perritos mientras yo limpio todo esto. Si mamá y papá lo ven, ¡estoy MUERTA Y ENTERRADA!".

"¡Gracias, Nikki!", ha chillado Brianna. "¡Seré la mejor cuidadora de perritos del MUNDO! Tengo mucha práctica porque cuidé al pez Rover hace unas semanas, ¿te acuerdas?".

¿Cómo olvidarlo?

"¡Ni me lo recuerdes!", he exclamado. "Tú haz subir los perros a mi habitación y vigila que no hagan nada malo. ¡Y no te dejes sus chuches, que te van a hacer falta!", he dicho tendiéndole una caja de dónuts para perros.

Brianna se ha metido uno en la boca y lo ha masticado. "¡¡ÑAM!! ¡Es de bacon y queso! ¡Me ENCANTAN estas cosas!".

"¡No son para ti, tonta! Si se lo ofreces a los cachorros, te seguirán a donde quieras".

"¡Sí, claro, ya lo sabía!". Brianna ha sonreído avergonzada. "¡¿Quién quiere una chuche?!", ha gritado, enseñándoles uno.

Los perros han parado en seco de vaciar cojines y se han puesto a corretear contentos escaleras arriba siguiendo a Brianna y a sus chuches.

Tengo que confesar que era muy agradable tener un momento a solas, sin Brianna ni los perros.

Rellenar y coser cojines a toda pastilla pinchándome los dedos y sangrando era mucho MÁS FÁCIL que intentar entretener a ocho perros revoltosos y una hermanita mimada.

Pero, al cabo de tres cuartos de hora, cuando ya estaba a punto de terminar, me ha dado una paranoia.

Al principio creía que era un mareo debido a la pérdida de sangre.

Y me he pellizcado para espabilarme, pero no sentía los dedos.

Probablemente porque se habían quedado insensibles con tantos pinchazos de la aguja.

Algo andaba...

¡MAL!

Al final he caído en la cuenta.

"¡No se oye nada! ¡Hay demasiado SILENCIO!", me he dicho a mí misma. "¿¡Qué estará haciendo Brianna?!".

Y he salido disparada hacia las escaleras.

"¡Brianna! ¡¿Qué estás haciendo con los perros?!", he gritado mientras subía corriendo. Pero no respondía. "¡Será mejor que me contestes o ya verás...!".

Al llegar arriba he visto un cartel mal escrito con lápiz rojo.

¡¡Era la letra de Brianna!!...

¡SILENZIO!

¡VIENBENIDOS AL PERRI-SPA MAMUASEL BRI-BRI!

En el pasillo había otro cartel que decía...

Lógicamente, yo he decidido ignorar por completo sus carteles tan MALEDUCADOS y nada profesionales.

Ganas me daban de denunciar el PERRI-SPA a la Oficina de la Competencia. Pero me estoy yendo por las ramas...

Del cuarto de Brianna salía música relajante como la que ponen en los balnearios.

Entonces me he dado cuenta de que el pasillo estaba tenuemente iluminado con las velas eléctricas de mamá, y que en el suelo había esparcidos pétalos de flores para mayor efecto.

"¡Caramba! ¡Realmente Brianna se ha tomado en serio lo del spa!", he pensado. "¡Los pétalos de rosas de color rosa quedan muy bonitos!".

Pero no había solo rosas. Un poco más adelante en el pasillo, Brianna había esparcido lilas y gardenias.

"¡Un momento...!". He fruncido el entrecejo. "¿De dónde los ha sacado?". No sabía por qué pero me resultaban muy familiares.

Ahora sí que empezaba a ponerme nerviosa.

Junto a mi habitación había esparcidos hojas, arbustos, palitos y... ¿raíces?

Y eso sí que me ha preocupado MUCHO.

¡Pero me he desesperado al ver la tierra fresca y los gusanos despistados sobre la alfombra nueva de mamá!

La puerta del cuarto de Brianna estaba cerrada con llave y he tenido que llamar con los nudillos.

"¡¡¡¡BRIANAAAAAAAAA!!!!", he gritado. "¡¡No puedo creer que hayas CORTADO todo el jardín de la señora Wallabanger, con el que ganó un primer premio!!".

Y de pronto una extraña mujercita, que llevaba unas gafas de ojos de gato con diamantes falsos incrustados, un fular largo, un delantal para pintar en el que había metido los mejores productos de spa de mamá, zapatos de tacón rojos seis números más grandes y demasiado maquillaje y bisutería, ha abierto muy despacio la puerta de Brianna y ha asomado la cabeza.

Me ha mirado, ha arrugado la nariz y me ha chistado...

¡UNA MUJERCITA EXTRAÑA
HACIÉNDOME CALLAR!

¡No podía creer lo que veían mis ojos! Era...

¡¿Mademoiselle Bri-Bri?! ¡¡☹!!

También conocida como mamuasel Bri-Bri, la Estilista más Fashion de las Estrellas.

Que se ve que ahora era también la dueña del nuevo Perri-Spa para "no umanos!".

Se ha quedado mirándome igual que la miraba yo.
En ese momento he sabido que me esperaba una...

¡LARGA!

¡¡LARGUÍSIMA!!

¡¡¡NOCHE!!!

¡¡☹!!

"¡CHISSS! ¡Esto es un spa de mucho guelax,
queguida!", me ha reñido *mademoiselle* Bri-Bri.
"¡¿No has entendido el cagtel?!".

"En primer lugar, ¡a mí no me hagas CALLAR!
¡Quien manda aquí soy yo!", le he gritado. "En
segundo lugar, ¡tus carteles casi no se podían leer!
Siento decírtelo, *madame*, pero ¡escribes FATAL!".

"¡Pegdona, pego no te puedo atender. ¡Mamuasel
Bri-Bri está muy ocupada, queguida! Solo admitimos
a cachogos con guesegva. Si no eres un cachogo,
no puedes quedagte, lo pone ahí: 'proibido pasar
umanos'. ¡Lee el cagtel, por favog!".

Y me ha cerrado la puerta en las narices. ¡¡PAM!!

"¡*Mademoiselle* Bri-Bri! Er, quiero decir... ¡BRIANNA!
¡¡Cuento hasta tres para que abras la puerta o te
advierto que me enfadaré como una MONA!!", he
gruñido. "¡¡UNO!!... ¡¡DOS!!... ¡¡TRES!!...".

De pronto la puerta se ha abierto de par en par.

"¡Queguida! ¡Por favog, cálmate! Si no, tendré que llamag a SEGUGUIDAD. ¡Pego si me prometes que no DIRÁS a nadie lo de las flogues del pasillo, mamuasel Bri-Bri te dará un DESCUENTO en el facial de mantequilla de cacahuete! ¿De acuegdo? ¡¿Sí?!".

¡No podía creer que *mademoiselle* Bri-Bri estuviera intentando SOBORNARME!

¡¡Si creía que podría comprar mi SILENCIO tras haber DESTROZADO las flores de concurso de nuestra pobre vecina la señora Wallabanger iba LISTA!!

Claro que, como trato, ¡aquel DESCUENTO para un facial sonaba bastante interesante!

Me ENCANTA ir al spa a que me den esos tratamientos pijoexclusivos. Pero me estoy yendo por las ramas...

"Para tu información, en los spas aplican exfoliantes faciales de ALMENDRAS, ¡no de MANTEQUILLA DE CACAHUETE!", he advertido a *mademoiselle* Bri-Bri.

"¡Y POR FAVOR no me digas que has abierto el tarro especial gigante de mantequilla de cacahuete sin sal ni azúcar que papá se estaba guardando para el día de su cumpleaños y la has puesto en la cara de los perros!".

"¡Vale, si no quiegues que mamuasel Bri-Bri te diga que ha abiegto el taggo gigante de mantequilla natugal de cacahuete, pues NO te lo digo! Pero DE VEGDAD VEGDADERA no he puesto ni un dedo de mantequilla en la CARA de los peguitos!", ha exclamado. "¡Somos un spa seguio, POR FAVOG! ¡Tranquila, queguida!".

"¡Menos mal!", me he dicho a mí misma.

"¡Hoy damos masaje de mantequilla de cacahuete CORPOGAL! Por eso a los peguitos les he puesto la mantequilla POG TODO EL CUEGPO". ¡Ahoga los peguitos están muy guelajados! ¡¡MÍGALOS!!".

¡Cuando los he visto me he quedado sin habla!

Holly y sus siete hijos eran de color marrón vómito y estaban recubiertos de mantequilla de cacahuete...

¡LOS PERRITOS EN EL PERRI-SPA!

"¡MADRE MÍA! ¡Pero ¿qué has hecho?! ¡¡Están TOTALMENTE cubiertos con la mantequilla de cacahuete ESPECIAL de papá!!", he gritado histérica.

"¡Bah!", ha contestado mademoiselle Bri-Bri. "Yo pongo guapos a los peguitos. Si los peguitos no están guapos, yo tampoco".

"Confiésalo, mademoiselle Bri-Bri, la has hecho buena. Parecen bolas de pelo vomitadas por un gato gigante tras comerse 139 galletas", he dicho. "¡Y ni quisiera tienes licencia!".

"¡No hace falta insultar, queguida!", ha refunfuñado mademoiselle Bri-Bri. "¡Todo está controlado! Mi becaguio ayudante de spa, HANS, ha prepagado un baño especial. Todos los cachoguitos cubiegtos con mantequilla quedagán limpísimos. ¡HANS! ¡Ven a lavag a los pegos! ¡AHOGA!".

Cuando ha mencionado a su ayudante HANS ya me quería morir.

¡NUNCA JAMÁS olvidaré a ese tipo!

¡El osito de PELUCHE Hans era el ayudante del SALÓN BRIANNA el día en el que *mademoiselle* Bri-Bri me cortó sin querer un mechón de pelo en febrero pasado!

¡¡Es un IDIOTA INCOMPETENTE!!

Pero ¡ES IGUAL!

En ese momento me importaba bien poco si era el HADA DE LOS DIENTES la que iba a ayudar a PAPÁ NOEL a bañar a los perros.

¡Lo importante era que estuvieran LIMPIOS, en su JAULA y ESCONDIDOS en mi habitación antes de que mis padres volvieran del cine!

Mademoiselle Bri-Bri y yo condujimos a Holly y los cachorros hacia el lavabo para darles un baño rápido.

Y al llegar vi que teníamos tres problemas muy GRANDES:

1. Su inepto ayudante el osito HANS estaba flotando boca abajo en la bañera.

2. La bañera no estaba llena de agua. Estaba llena de...

...

¡¡¡¿BARRO?!!!
...

Y

3. No era solo barro. ¡La peste que echaba aquel mejunje de alcantarilla era tan fuerte que casi se despegan los patitos del papel pintado del lavabo!

"¡Brianna! ¡¿POR QUÉ hay BARRO en la bañera?!", he gritado. "¿Y por qué huele como si se hubiera MUERTO algo y siguiera ahí dentro PUDRIÉNDOSE?".

"¡Güi, güi! Este baggo está hecho con la tiegga más sucia y selecta, elegida pegsonalmente por mamuasel Bri-Bri de la pila de compost de ESTIÉGCOL de la vecina", ha presumido. "¡No encontrarás otro baño de baggo como este en todo el mundo, queguida!".

127

¡YO, AGUANTÁNDOME LAS GANAS DE VOMITAR POR LA TERRIBLE PESTE DEL BAÑO DE ESTIÉRCOL Y BARRO DE MADEMOISELLE BRI-BRI!

¡MADRE MÍA! La peste del baño caliente de barro y estiércol era tan fuerte que me ha chamuscado los pelos de la nariz.

Era casi como si pudiera notar su SABOR en la boca.

"¡PUAJJ!", he exclamado tapándome la nariz. "¡Se acabó, Brianna, te cierro el garito!", he gritado. "¡¡El supuesto spa queda CERRADO por violación de más de una docena de normas sanitarias municipales!!".

"Pero, Nikki, ¡aún NO he terminado!", ha gemido ~~mademoiselle Bri-Bri~~ Brianna. "Hans iba a hacerles a los perros una manicura de gelatina, ¡mira!", ha dicho con un tarro de jalea de uva y una cuchara en la mano.

"¡Pero ¿de QUÉ hablas?! Se llama 'manicura de GEL', ¡no de gelatina!", la he corregido. "¡Ahora saca al osito de la bañera para que pueda limpiar todo este jaleo tan APESTOSO!".

"¿Hans? ¡¡HANS!! ¡¡Sal ahora mismo de la bañera o estás DESPEDIDO!!", ha gritado mientras tiraba con todas sus fuerzas de la pata del oso.

Y ha pasado ESTO...

133

¡MADRE MÍA! ¡No me lo podía creer! ¡Hans ha salido volando por el cuarto como un torpedo y ha aterrizado de cabeza dentro del váter SALPICÁNDOLO todo!

Lógicamente, mademoiselle Bri-Bri y yo hemos FLIPADO porque AHORA, por culpa de Hans, ¡estábamos empapadas de estiércol y AGUA de WC!

¡PUAJJJJJJ! ¡¡¡☹!!!...

Y para cuando hemos conseguido reunir a todos los perros y llevarlos de VUELTA a su jaula, ¡Brianna y yo estábamos cubiertas de estiércol, agua de WC y MANTEQUILLA DE CACAHUETE! ¡¡☹!!

Al final, lo difícil NO ha sido cuidar de OCHO perros. Lo difícil de verdad ha sido cuidar de ~~mademoiselle Bri-Bri~~ ¡Brianna!

Lo siento, pero ¡lleva toda la noche portándose como una JAURÍA DE PERROS SALVAJES! ¡¡☹!!

La última vez que he mirado, Hans seguía flotando en el váter. Lo que no es tan malo, ¡¡si pensamos que el váter es diez veces más higiénico que ese baño de barro y estiércol!!

Los perros DABAN ASCO.

El baño DABA ASCO.

Y hasta Brianna y yo DÁBAMOS ASCO.

IMPOSIBLE limpiar aquella POCILGA antes de que mis volvieran mis padres.

¡¡A no ser que volvieran dentro de quince días!!

¡¡Mis padres iban a ALUCINAR cuando descubrieran, que yo había escondido, no a UNO, sino a OCHO perros pringosos de mantequilla de cacahuete en su casa que ahora DABA ASCO!!

¡Yo era un DESASTRE total! ¡Y la PEOR cuidadora de mascotas del MUNDO!

Aunque, por el aspecto que tenía ahora mismo Brianna, ¡era AÚN PEOR como cuidadora de mi hermana! ¡☹!

Así que he hecho lo que haría cualquier persona de mi edad normal y responsable delante de OCHO perros y UNA mocosa mimada cubiertos de estiércol, agua del váter y mantequilla de cacahuete.

Me he dejado caer en mitad del lavabo...

He cerrado los ojos...

¡¡Y me he echado a LLORAR!!

¡¡☹!!

No sé exactamente cuánto rato he estado llorando en el suelo del cuarto de baño. Solo recuerdo que he oído el timbre de la puerta y me he preguntado tres cosas:

1. Cómo es que mis padres volvían tan pronto del cine.

2. ¿Por qué llamaban al timbre en lugar de abrir con sus llaves?

Y

3. ¿Me castigarían sin salir de casa hasta el último año de SECUNDARIA o hasta el primero de UNIVERSIDAD?

Y así hasta que ~~mademoiselle Bri Bri~~ Brianna ha asomado la cabeza y me ha dicho lo que ya sabía.

"Nikki, ¡tienes que bajar corriendo! ¡Están llamando a la puerta!", ha exclamado. "Si son mamá y papá, estaré encerrada en mi cuarto jugando al Hada de Azúcar. Pero si están MUY enfadados, diles que me he ido de casa, ¿vale?".

NO podía creer que encima Brianna me cargara ahora a mí el muerto. ¡Todo había sido idea SUYA! ¡¡Brianna se había ENFANGADO mucho con el PERRI-SPA de mademoiselle Bri-Bri!!

¡DING-DONG! ¡DING-DONG! ¡DING-DONG!

¡GENIAL! ¡☹! Se notaba que mis padres estaban enfadados solo por la manera en la que llamaban al timbre.

Aún cubierta de papel de váter, estiércol y mantequilla de cacahuete, he descendido pesadamente los escalones par ir a abrir. Lo único que le podía decir a mis padres era que lo sentía muchísimo, que había aprendido la lección ¡¡y que NUNCA JAMÁS VOLVERÍA a mentirles ni a esconderles nada!!

He abierto despacito la puerta de la calle y cuál ha sido mi sorpresa al ver a...

... ¡¿BRANDON?!

"¡¡BRANDON!! ¡Madre mía!¿ ¿Qué haces tú aquí?", he exclamado.

"Nikki, ¿estás bien?", ha preguntado con cara de susto. "Te he llamado al móvil para ver qué tal te iba con los perros. Pero ha contestado una... señora... algo rara con un acento muy fuerte diciendo que no te podías poner porque estabas muy enfadada por no sé qué lío de mantequilla de cacahuete ¡y que estabas llorando en el lavabo! Después hablaba de ¿un baño de VAGOS?, que ya lo había pagado o prepagado. No sé a qué se refería, no he entendido nada de nada. Y luego me HA COLGADO. Ha sido muy... ¡RARO!".

"¡¿QUÉ?!", he balbuceado.

¡Estaba FLIPANDO! ¡¡¿En serio Brianna había estado HABLANDO con Brandon desde MI móvil?!!

¡NO podía creer que esa mocosa MIMADA estuviera aireando así mis asuntos!

Brandon ha seguido contándome: "He pensado que quizá me había confundido de número y he vuelto a llamar. Me ha contestado la misma señora diciéndome que no volviera a llamar o ella llamaría

140

a la policía. El caso es que, como había venido a tu barrio a trabajar en un proyecto me ha parecido más prudente pasar por aquí para comprobar que estabais todos bien. Porque tú y los perros estáis bien, ¿verdad? Es que esa mujer me ha dejado preocupado. Por cierto, er... ¿qué es ese OLOR? ¡¡PUAJ!!", ha dicho parpadeando muy deprisa como si la peste se le estuviera metiendo por los ojos.

Pues, sintiéndolo mucho, NO podía decirle a Brandon la verdad: ¡que él me había confiado los perritos y yo había demostrado ser un DESASTRE TOTAL y DEFINITIVO como cuidadora de mascotas! ¡☺!

Así que he MENTIDO y le he dicho que la revista *Hadalescentes* decía que lavar perros en mantequilla de cacahuete y estiércol mataba las pulgas (¡en 10 km a la redonda!) y les dejaba el pelo muy brillante. Pero que la historia había acabado ensuciando bastante más de lo previsto.

Y cuando él ha llamado yo estaba limpiando (a los perros, mi hermanita, el osito Hans y la mayor parte de las escaleras de la casa).

Y luego he preferido cambiar de tema.

"¿Y dices que estabas por el barrio, Brandon?".

"Sí. De hecho, estaba en la casa blanca de aquí al lado. Mi amigo Max Crumbly y yo estamos trabajando en un proyecto para la feria de ciencias y tenemos que presentarlo mañana".

"¿La casa de al lado?", he preguntado sorprendida. "¿Te refieres a la de la señora Wallabanger?".

"Sí. ¡La señora Wallabanger es la abuela de Max! Nuestro proyecto se titula 'Aplicación de la destilación para convertir agua sucia en agua potable'".

"¡Hala, Brandon! Es verdad que nuestra profe de bio comentó lo de la feria de ciencias. Vuestro proyecto suena muy complicado".

"No, no lo es tanto. Lo único que hay que hacer es buscar agua sucia y convertirla en agua limpia. Con la investigación necesaria, algún día este proceso podría ayudar a proporcionar agua limpia a los países del tercer mundo. Lo que pasa es que para que nuestro proyecto funcione necesitamos utilizar agua sucia generada de forma natural en el medio ambiente".

"¡Increíble!", he dicho admirada.

"Pensábamos utilizar el agua que va saliendo de la pila de compost de la señora Wallabanger. Pero resulta que el agua ha desaparecido, y parece que al final no podremos participar en la feria de ciencias".

"¿Y eso? ¿Qué ha pasado?", he preguntado preocupada.

"No te lo vas a creer, pero todo indica que alguien ha entrado en su jardín y ha robado el compost. También se han llevado unas flores de concurso. La abuela de Max dice que es cosa de su archienemiga Trixie Claire Jewel-Hollister. Se odian desde el instituto. Últimamente, la señora Wallabanger ha ganado todos los concursos florales locales, y dice que Trixie Hollister es una rica mimada y celosa que NO SABE PERDER".

He pensado que esa señora Hollister debía de ser la abuela o una tía abuela de MacKenzie.

No me gustaba que la culparan a ella, pero tampoco quería cargar el muerto a Brianna.

"Pues qué pena que Max y tú no podáis participar en la feria de ciencias porque... ¡un momento! ¡creo que a lo mejor por casa tengo algo de estiércol, digo, de COMPOST, que no necesito!".

Brandon ha puesto cara de sorpresa. "¿De verdad? ¡Pues qué buena noticia! ¿Nos dejas un poco para nuestro proyecto?".

"¡TODO! ¡Os lo podéis quedar todo! Lo iba a tirar igual. Aunque necesitaré que antes me ayudéis un poco".

Así que yo he limpiado el váter que DABA ASCO.

Brandon ha limpiado la bañera que DABA ASCO (le ha encantado el "SPA de BARRO" de mademoiselle Bri-Bri).

Y su amigo Max ha limpiado a los PERRITOS que DABAN ASCO en el patio de la señora Wallabanger...

¡MAX, BAÑANDO A HOLLY
Y LOS CACHORROS!

Brandon me ha presentado a su buen amigo Max Crumbly. ¡Era guapo, amable, inteligente y CASI tan MONO como Brandon! ¡YAJUUUU! ¡¡☺!!

¡NIKKI, TE PRESENTO A MI GRAN AMIGO MAX CRUMBLY! ¡ES EL NIETO DE LA SEÑORA WALLABANGER!

Brandon me ha contado que Max es un artista muy bueno (¡como YO!) y que va al instituto público South Ridge que hay en esta misma calle.

Los dos me han dado las gracias por ayudarles con su proyecto de ciencias y me han invitado a la presentación.

Total, que cuando mis padres han vuelto del cine, ¡todo y todos estábamos limpísimos y durmiendo! Pero sí, ¡¡confieso que la noche había sido un COMPLETO DESASTRE!!

¡¿Cómo se me ocurre ofrecerme a cuidar de OCHO perros cuando no podría cuidar de una mascota ni aunque fuera DE PIEDRA?!

¡Menos mal que al final todo ha salido bien!

A lo mejor el masaje de mantequilla de cacahuete de _mademoiselle_ Bri-Bri SÍ que ha relajado a los perritos, porque no los he oído en toda la noche.

¡Solo espero que mañana no haya tanto LÍO!

Hoy mis padres acompañarán a la clase de Brianna en una excursión de todo el día al zoo. Para cuando me levante, ya no estará ninguno de los tres en casa.

Dejaré que los perritos correteen, jueguen y dormiten por mi habitación (con su alfombra WC absorbente) hasta que yo vuelva del insti.

LUEGO, para cuando mi familia vuelva de la excursión, Brandon ya se habrá llevado a los perros a casa de Chloe iy ya habré cumplido mis deberes de cuidadora de mascota!

Es decir, ihabré tenido en casa durante veinticuatro horas a OCHO perros ante las narices de mis padres sin que hayan llegado a sospechar NADA!

¡¿Soy o no soy MAQUIAVÉLICA?!

¡JA–JA–JA–JAAAA!

¡Bueno, será mejor que duerma un poco!

¡¡☺!!

¡¡¡AAAAAAAAAAAAAAAH!!!

(¡Esa era yo, gritando de TERROR!)

Por un momento no sabía si estaba despierta o seguía durmiendo, ¡solo rezaba para que la cosa tan HORRIBLE que acababa de ver fuera una pesadilla!

Me había levantado, duchado y vestido. Luego había estado cuidando de Holly y los cachorros.

Los había dejado en mi habitación jugando y correteando y yo había bajado para buscar algo de desayunar en la cocina y después irme al insti.

¡AVISO! ¡Ahora viene la escena de la PESADILLA!

Como las ~~víctimas~~ personas que salen en las pelis de terror, ¡yo CREÍA que estaba sola en casa!

Y por eso me he quedado de PIEDRA al entrar en la cocina y ver...

¡YO, EN ESTADO DE SHOCK AL VER A MAMÁ, CUANDO SE SUPONÍA QUE SE HABÍA IDO!

Le he dicho: "Er... buenos días mamá, una cosa...
¡¡¿QUÉ HACES TÚ AQUÍ?!!".

Mi madre me ha mirado extrañada. "Pues ahora
mismo me estoy haciendo un café".

"Quiero decir: ¿no os ibais todo el día fuera? ¿No
ibais a ir al zoo de acompañantes de la clase de
Brianna?".

"Es que lo han anulado porque anuncian chubascos.
Y, como ya me había pedido el día libre en el trabajo,
he decidido quedarme en casa a descansar".

"¡¿QUÉ?! ¡¡¿Que te quedas en CASA?!! ¡¿TODO EL
DÍA?! ¡¿Estás SEGURA?!", he dicho con un hilo
de voz.

"¡Sí, estoy segura! Cariño, ¿estás bien? ¡Pones cara
de haber visto un FANTASMA!".

"Pues la verdad, mamá, es que estaba bien hasta
que he entrado en la cocina. ¡Ahora tengo ganas de

vomitar! Er, no... quiero decir ¡SÍ! Es broma. Me encuentro perfectamente", he balbuceado.

Vale, ¡ahora tenía un problema DESCOMUNAL!

Imposible dejar a los perros en mi habitación con mi madre en casa todo el día.

Y, aunque los escondiera en el garaje, seguro que en algún momento acabaría topándose con ellos.

¡¡Tenía que sacarlos de la casa y DEPRISA!!

Imagínate: sola en casa con ocho perros. Con solo que alguno de los cachorros ESTORNUDARA, seguro que lo oiría. ¡☹!

No como en el INSTI, ¡que está siempre atiborrado de gente y parece un ZOO!

¡En el instituto hay tanto RUIDO que no te puedes oír ni los PENSAMIENTOS!

Por disparatado que sonara, ¡¡no me quedaba más

remedio que llevarme a los perros al INSTI!! ¡O enfrentarme a la IRA DE MAMÁ! ¡¡☹!!

¡He avisado por mensaje a Chloe y a Zoey de la CATÁSTROFE que se avecinaba!

Me han dicho que me tranquilizase y que fuera cuanto antes a la puerta lateral junto a la biblioteca del insti.

Pero para eso TODAVÍA tenía que resolver dos pequeños detalles importantes.

Como nadie pide pizza para desayunar a las 7 de la mañana, Queasy Cheesy estaba cerrado y no había furgoneta ni conductor. ¿Cómo IBA a pedir a mi madre o a mi padre que me llevaran al instituto a mí y a OCHO perros? ¿Y sin que descubrieran, er, ¡los PERROS!?

Entonces me he acordado de que había quedado con mis BFF cerca de la BIBLIOTECA. Un sitio donde hay muchos y muchos LIBROS.

Así que he ido a por papel y rotulador, una manta y un remolque y he creado el disfraz perruno perfecto...

Acababa de tapar la jaula de los perros con la mantita de cuando Brianna era bebé y de pronto he oído abrirse de golpe la puerta del garaje.

Brianna ha puesto los ojos como platos y cara de estar a punto de hacerse pis encima.

Me he dado la vuelta y ahí estaba papá con una taza de café en la mano MIRANDO fijamente la JAULA DE LOS PERROS.

¡MADRE MÍA! ¡Del SUSTO que me he pegado casi devuelvo todo el desayuno, bacon incluido!

La mirada de mi padre iba sucesivamente de la jaula a mí y de mí a la jaula. ¡¡Estaba convencida de que me había PILLADO!!

Hasta que ha dicho: "Bueno, Nikki, creo que necesitarás ayuda para llevar todos esos libros a la biblioteca del instituto. Voy a por la furgoneta y te llevo".

Yo estaba sin palabras. ¡Y muy contenta! ¡¡☺!!

¡Mi padre se acababa de presentar voluntario para llevarme a mí y a los ~~perros~~ libros al insti!

"Gracias, papá", le he dicho. "Me haces un favor".

"Son MUCHOS libros, ¿no? ¿De dónde los has sacado?", ha preguntado antes de dar un sorbo al café.

"Los dejó alguien junto a una puerta, y los he estado cuidando hasta encontrarles hogar. ¡Quiero decir un HOGAR en la BIBLIOTECA del instituto, claro!", he explicado nerviosa.

Mi padre ha abierto la puerta de la furgoneta y luego ha ido a avisar a mi madre de que me llevaba al insti.

Yo he aprovechado para llevar los "libros" hasta la furgoneta y Brianna me ha ayudado a cargarlo todo antes de que volviera mi padre.

En cuanto ha arrancado, he puesto su emisora de radio favorita de canciones de toda la vida, con el volumen tan alto que creía que me iban a sangrar las orejas.

Por suerte, la música tan alta hacía casi imposible que mi padre oyera ladrar a los perritos.

PERO si hubiera mirado hacia atrás a los "libros para la biblioteca", ¡menuda sorpresa se habría llevado!...

Mientras ajustaba la manta para volver a tapar a esos cachorros tan curiosos sentía que el corazón me iba a cien.

¡¡PERO ¿EN QUÉ ESTABA PENSANDO?!! ¡¡☹!!

Debía de sufrir una ENAJENACIÓN TEMPORAL cuando se me ha ocurrido la RIDÍCULA idea de llevar ocho perros al instituto.

¡No quería ni PENSAR cómo iba a ser el día en el insti!

Y ni siquiera había empezado aún.

¡¡☹!!

Tal como habíamos quedado, Chloe y Zoey me esperaban en la puerta lateral junto a la biblioteca.

"¡Hola, chicas! He saltado de la furgo, las he agarrado del brazo y las he llevado hasta la parte de atrás para que mi padre no nos oyera.

"Venga, ayudadme a descargar los, er... ¡LIBROS!".

"¿Libros?", ha preguntado Zoey. "¿Qué libros?".

Les he hecho un guiño a las dos.

"¡Ah! ¡ESOS libros! ¡Claro!", ha dicho Zoey.

"Nikki, ¿qué ha pasado con los PERROS?", ha soltado Chloe. "¿Los has dejado en tu habitación? Pensaba que los ibas a traer al insti y que...

Zoey le ha dado una patada a tiempo a Chloe.

"¡AY! ¡Qué daño me has hecho!", ha gemido Chloe.

"¿Necesitáis ayuda, chicas?", ha preguntado mi padre, que había aparecido por detrás.

¡MADRE MÍA! ¡Del SUSTO que nos ha dado casi vomitamos la cena de ayer! ¡Debería DEJAR de andar tan sigilosamente y asustar a la gente así!

Ha abierto la puerta trasera de la furgoneta y se ha dispuesto a coger los "libros para la biblioteca".

"¡NO!", he dicho agarrándolo. "Quiero decir: no, gracias, papá. Ya lo hacemos nosotras. Si no, la señora Peach nos despediría. Lo entiendes, ¿verdad?".

"No mucho, pero vale", ha dicho encogiéndose de hombros. "¡Estáis más nerviosas que un gato mojado! ¡Cualquiera diría que intentáis colar ratones en una fábrica de queso!".

¡Qué va! ¡Nosotras solo intentábamos colar ocho perros en un instituto!

Chloe, Zoey y yo nos hemos mirado y nos hemos reído nerviosas.

No porque su chiste tuviera gracia, sino porque la cola de Holly asomaba por debajo de la manta...

Entre las tres hemos descargado el remolque con la jaula de los perros, le hemos dicho adiós a mi padre con la mano y hemos llevado los "libros" a la biblioteca.

"Dejar la jaula aquí es muy arriesgado", he dicho. "¿Y si la señora Peach ve el cartel y cree que son de verdad libros para la biblioteca?".

"Podríamos cambiar el cartel y poner 'BASURA' para que no mire", ha sugerido Chloe. "Claro que a lo peor los tira. ¿Y si ponemos 'SERPIENTES'? Entonces no se acercará, ¿no?".

"¡No! Tenemos que esconderlos en algún lugar seguro y top secret que solo conozcamos NOSOTRAS. Como, er...", ha dicho Zoey llevándose la mano a la barbilla.

Y de repente las tres hemos tenido la misma idea...

"¡EL ALMACÉN DEL CONSERJE!", hemos gritado emocionadas.

Hemos llevado la jaula por el pasillo hasta el almacén.

Hemos empujado la jaula y hemos cerrado la puerta tras ella.

"Espero que no hagan mucho ruido", ha dicho Zoey retirando la manta y doblándola.

"Bueno, podemos escucharlos con esto", he dicho mientras sacaba el kit vigilabebés de la mochila.

Chloe lo ha puesto en marcha y ha colocado el emisor sobre la jaula y me ha pasado a mí el receptor.

Todos los cachorros dormitaban, y Holly nos miraba en silencio, supongo que intrigada por el nuevo entorno que los rodeaba.

"¡Mirad!", ha dicho Chloe. "No tiene agua en el cuenco. ¡Voy a llenarlo para que no pase sed!".

"Vale, pero asegúrate de que cierras la jaula cuando acabes para que no se escapen", he dicho, mientras ponía al máximo el volumen del receptor.

Quería asegurarme de que oiría el menor sonido.
Luego me lo he metido en la mochila.

Nos hemos despedido de los perritos, hemos cerrado
con cuidado la puerta del almacén del conserje y nos
hemos dirigido a nuestras casillas.

Hoy a primera hora teníamos tutoría en lugar de las
clases habituales.

A nosotras ya nos iba bien, porque las tres tenemos
la misma tutora.

"Vosotras comportaos con toda la calma y
naturalidad del mundo", les he dicho en voz baja a
Chloe y a Zoey mientras nos sentábamos.

"¡Y pensemos solo cosas BUENAS!", ha susurrado Zoey.

"¡BUENA será la forma en la que nos echarán a las
tres del insti si alguien descubre a los perros en el
almacén del conserje!", ha respondido Chloe también
susurrando.

¡Qué simpática, Chloe, gracias!

¡¡La cosa BUENA que ha pensado ella me ha dejado a mí más PREOCUPADA que NUNCA!!

¡¡☹!!

Había tanto silencio en la clase que se podía oír el vuelo de una mosca. Pero de pronto...

¡BUM! ¡CHOF! ¡GUAU! ¡REGUAU! ¡CATAPLAF!

Los ruidos que salían de mi mochila me han dado tal susto que casi me caigo de la silla. ¡MADRE MÍA! Parecía una batalla de la Guerra de... ¡los Cachorros!

Enseguida me he arrepentido de haber subido tanto el volumen del vigilabebés.

¡¡TAMBIÉN me he arrepentido enseguida de no haber confirmado si Chloe había CERRADO la PUERTA de la JAULA tras rellenar el cuenco de agua de Holly!! ¡¡☹!!

Lo han oído todos los que estaban en el aula, incluidas Chloe y Zoey. Yo me he muerto de miedo.

La tutora ha dejado de escribir en la pizarra, se ha acercado a mi mesa y me ha mirado boquiabierta...

YO, INTERRUMPIENDO LA CLASE CON MIS
RUIDOSOS "SONIDOS ESTOMACALES".

"Nikki, ¿te encuentras bien?", me ha preguntado preocupada.

"Pues... ¿ha sentido alguna vez náuseas tan fuertes que la barriga le suena como siete perros encerrados en un almacén de limpieza? ¡Porque así es como me siento yo ahora mismo!". Me he llevado las manos a la barriga y he fingido un gemido muy sonoro y doloroso.

La profesora se ha estremecido solo de pensarlo.

"Pues no, nunca. ¡Por suerte!", ha dicho.

¡GUAU-GUAU! ¡PAM! ¡AUUU! ¡REGUAU! ¡CATAPLAF!

"¡Perdón! ¡Pero me temo que esto se va a poner aún más feo!", he dicho. Y he empezado a emitir lamentos largos y fuertes como un camello con dolor de muelas.

Todas mis maniobras eran para procurar que no se oyera el ruido que salía de mi mochila.

Pero me temo que no funcionaba.

"Me estoy empezando a preocupar, Nikki. ¿No habrás comido algo que te ha sentado mal?", ha preguntado la profesora.

"¡No me extrañaría! ¿Recuerda los macarrones con queso azul que dieron ayer para comer? ¡Pues el queso, más que azul, era verde mohoso y olía a saliva de mofeta fermentada! ¡Y yo me comí TRES platos enormes! ¡¡ARGH!!".

Mis compañeros han regresado corriendo a sus mesas para ponerse fuera del alcance de mi vomitada.

¡Anda ya! Si de verdad me hubiera comido lo que decía, no tendrían que apartarse de esa forma.

¡Tendrían que salir NADANDO del aula!

Es una idea.

¡AUUU! ¡GUAU! ¡CATAPLAF! ¡GUAU-GUAU! ¡PAM! ¡GRRR! ¡REGUAU! ¡CATAPLAF! ¡PAM! ¡CATAPLAF!

Algunos compañeros se han quedado mirándome horrorizados, como si estuviera poseída... ¡por la sección de PERCUSIÓN de una BANDA MUSICAL!

Pero ¿qué debían de estar haciendo aquellos perros?

¿Jugar a BOLOS? ¿Practicar lanzamientos de CUBOS DE FREGAR?

"¡AU! ¡AU! ¡AUUUUUUU!", se ha puesto a gritar Zoey como un coyote aullando a la luna. "¡Yo también comí demasiados CACARRONES, quiero decir, macarrones! ¡Me encuentro FATAAAAL!".

Chloe también se ha apuntado: "¡MUU! ¡CUA-CUA! ¡OINK-OINK! ¡¡QUIQUIRIQUÍ!!".

La chavala se estaba pasando dos pueblos con su actuación. ¡Parecía la granja de la tía Chloe!

Entonces, para añadir un poco de dramatismo, ¡¡he reconstruido la tristemente famosa escena de MacKenzie vomitando en clase de francés!!...

¡CHLOE, ZOEY Y YO,
A PUNTO DE VOMITAR (DE MENTIRA)!

¡MADRE MÍA! ¡Ahí es cuando toda la clase se ha vuelto loca!

¡Todo el mundo sabe que vomitar puede ser contagioso! Seguro que no está científicamente demostrado, pero ¿Y QUÉ?

Había al menos cuatro compañeros tapándose la boca y con cara de tener también náuseas.

Pero, a diferencia de nosotras, ¡¡ELLOS sí que parecían estar DE VERDAD a punto de VOMITAR!! ¡¡☹!!

Si un alumno vomitando en clase ya daba ASCO...

¡¡PUAJJ!!

¡¡Imagínate CUATRO al mismo tiempo!!

¡¡PUAJJ cuádruple!!

Yo desde luego no quería estar cerca cuando PASARA.

"¡OH, NO!", ha gritado la tutora dándose de pronto cuenta de la gravedad de la situación. "Vosotras tres, ¡tenéis permiso INMEDIATO para salir! ¡Pero CORRED antes de que vuestros almuerzos de ayer vengan a saludar sobre el suelo limpio de mi aula! ¡MARCHAOS! ¡Por favor, SALID!".

Era evidente que alguien le había contado a la profe lo de la VOMITONA DE MACKENZIE. ¡¡Y NO estaba dispuesta a que pasara lo mismo en SU clase!!

Chloe, Zoey y yo nos miramos.

A pesar de lo poco dotadas que estamos para la actuación, ¡el plan estaba funcionando!

"¡Gaczias, profa!", he mascullado.

He agarrado la mochila y las tres hemos salido del aula a trompicones y como mareadas.

Pero en cuanto he cerrado la puerta, nos hemos lanzado a correr por el pasillo hacia el almacén del conserje como en una carrera de 100 metros lisos...

¡CHLOE, ZOEY Y YO CORRIENDO POR EL PASILLO PARA IR A VER A LOS PERRITOS!

Mientras corríamos por el pasillo, el almacén del conserje parecía estar cada vez más lejos.

Cuando por fin hemos llegado, estábamos bastante histéricas y prácticamente sin aliento.

He abierto poco a poco la puerta y las tres hemos asomado la cabeza a la vez.

¡MADRE MÍA!

¡No podía creer el **FOLLÓN** que habían montado los perros!

Era como aquella vieja canción de "¿QUIÉN HA SOLTADO A LOS PERROS?", pero a lo bestia.

Pero, sobre todo, ¡no podía creer que los perritos se lo estuvieran pasando tan BIEN!

Todo lo que había allí dentro estaba...

masticado,

mordisqueado,

desconchado,

arañado,

desgarrado,

hecho jirones,

hecho añicos,

o directamente

hecho polvo.

Aunque, afortunadamente...

...los PERROS estaban sanos y salvos...

¡Por todas partes había montoncitos de detergente en polvo, charcos de agua sucia, espuma y papel del váter hecho trizas! Dos de los cachorros jugaban con la manguera en los grifos de agua de fregar.

No domino el lenguaje perruno, pero diría que Holly se moría de vergüenza por las gamberradas de sus cachorros.

Costaba creer que unos perritos tan PEQUEÑOS pudieran causar semejante DESASTRE. De hecho, ¡parecía que habían montado un fiestón en casa y habían ARRASADO con todo!

"Tardaremos como mínimo una hora en limpiar este follón", ha gemido Zoey. "Será mejor volver y hacerlo a la hora del almuerzo, que tendremos más tiempo".

"Sí, es verdad. Pero antes hay que sacar a los perros de aquí", he mascullado.

"¿Dónde más podemos dejarlos?", ha preguntado Chloe. "La señora Peach estará toda la tarde en la biblioteca, de manera que ALLÍ imposible".

"¡Chicas! Se me ocurre algo BÁRBARO", he dicho sonriendo. "¡Y estoy casi segura de que funcionará! O, si no funciona, nos ARRUINARÁ la vida y hará que nos EXPULSEN del insti".

"¡Caray, suena perfecto!", ha contestado Zoey sarcástica y poniendo cara de paciencia.

"Escuchadme, ya veréis", he dicho. "El director Winston no estará en todo el día en el edificio porque tiene una reunión fuera, ¿vale? Pues bien, como él no estará en su despacho...".

"¡Ya sé!", ha interrumpido Chloe emocionada. "¡Podemos simplemente SALTARNOS las clases del resto del día y llevar a los perros a MI casa! Como el director no está, no se enterará y no nos EXPULSARÁN, ¿es eso?".

"No exactamente, Chloe. Tú ESCÚCHAME, ¿vale? Podríamos esconder los perros en su despacho y nadie se enteraría NUNCA. Porque nadie, pero lo que se dice nadie, se ATREVERÍA nunca a entrar ahí sin su permiso. ¡¡Hay que ser VERDADERAMENTE TONTO para eso!!".

Zoey se ha dado una palmada en la frente. "Ejem...
Nikki, ¿hablas en serio? ¡Menuda PLANCHA! ¡Buf!".

"¿Qué PLANCHA?", ha preguntado Chloe mirando a
su alrededor. "¿Aquí hay una plancha? Pero ¿quién va
a planchar en el almacén del conserje? ¡Ah, claro! El
CONSERJE, ¿verdad?".

"¡He dicho 'menuda plancha', Chloe!", ha suspirado Zoey.

"Sí, claro, eso he oído. Pero sigo sin ver la plancha
por ningún lado", ha mascullado Chloe.

"¡Chloe! ¡Aquí no hay NINGUNA plancha!", le he dicho.

"¡Ya me lo parecía, pero díselo a Zoey!", ha gruñido
Chloe.

"¡Va, Zoey!", he replicado. "Si tienes una idea mejor,
suéltala".

"De hecho, creo que la idea tan tonta de Chloe
de hacer NOVILLOS es MEJOR. Y MENOS
arriesgada", ha refunfuñado.

He puesto los ojos en blanco y no he dicho nada.

Al final Zoey ha dicho suspirando: "Nikki, si crees que tu plan puede funcionar, ¡intentémoslo! Desde luego, ¡AQUÍ los perritos no pueden quedarse!".

"¡Genial!", he dicho sonriendo. "Os lo cuento, mi plan es MUY, MUY sencillo. ¡Lo ÚNICO que tenemos que hacer es COLAR los perros en el despacho del director Winston, impedir que lo DESTROCEN todo como han hecho aquí en el almacén del conserje, procurar que nadie los descubra y luego volver a COLARNOS en el despacho al final del día y llevarnos los perritos a casa! ¡Tan difícil no será, ¿verdad?!".

Chloe y Zoey se han limitado a cruzarse de brazos y me han mirado.

"Hasta aquí mi plan. ¿Alguna pregunta?".

"Sí. Creo que Chloe y yo tenemos la misma pregunta", ha mascullado Zoey...

Vale, no era exactamente la PREGUNTA que
estaba esperando, pero mira, son Chloe y Zoey ¡y
hay que QUERERLAS como son!

Tener la idea de esconder los perros en el despacho del director Winston había sido bastante fácil.

Lo difícil era ahora pensar CÓMO llevarlos hasta el despacho del director Winston. Este era mi PLAN MAESTRO:

Chloe se encerraría en el cuarto de baño y ~~haría sus terribles imitaciones de animales de granja~~ fingiría que está mareada.

Zoey y yo le diríamos a la secretaria que estamos preocupadas por Chloe y que fuera a verla.

Aprovechando la ausencia de la secretaria, Zoey y yo simplemente empujaríamos la jaula de los perros hasta el despacho del director y luego lo cerraríamos.

Como el despacho está en un pasillo aparte con respecto a la ajetreada secretaría, difícilmente oirían a los perros a menos que armaran mucho jaleo.

Al final del día, pediríamos que nos dejaran recuperar nuestra caja de "libros para la biblioteca", que sin saber cómo había ido a parar al despacho del director Winston en lugar de a la biblioteca.

Sabía que mi plan era inverosímil, mal planteado y muy arriesgado. Pero no tenía más opciones.

¡Salvo confesárselo todo a mis padres! ¡☹!

Estábamos espiando la escena cuando se ha abierto la puerta, ha salido la secretaria y se ha alejado por el pasillo hacia la sala de profesores.

¡No podíamos creernos la suerte que teníamos! ¡☺!

Si la secretaría iba a estar un rato desatendida, teníamos la oportunidad PERFECTA para colar los perros en el despacho del director.

Hemos arrastrado corriendo el remolque hacia la secretaría, pero nos hemos llevado una sorpresa, en parte MALA y en parte BUENA. La parte MALA es que ¡en secretaría había una alumna ayudante! ¡☹!

¡Pero la parte BUENA es que era nuestra amiga
MARCY! ¡¡☺!! . . .

NUESTRA BUENA AMIGA MARCY DURANTE SU
TURNO DE AYUDANTE DE SECRETARÍA.

"¿Qué tal, Marcy?", he dicho. "¡Queríamos pedirte un favor muy grande! ¡Es un poco secreto!".

Se ha quedado mirando el remolque que teníamos detrás con cara de sorpresa. Luego ha leído el cartel y ha parpadeado incrédula.

"¡MADRE MÍA! ¡No puedo creer que vosotras tres estéis haciendo algo así! ¡¿Y encima queréis que os guarde el secreto?! ¡Lo que estáis haciendo lo tiene que saber todo el instituto!", ha gritado nerviosa Marcy.

Por su reacción tan desproporcionada era bastante evidente que había visto asomarse a algún cachorro a mirar por debajo de la manta o alguna cola meneándose contenta.

¡GENIAL! ¡Ahora sí que nos habían PILLADO! ¡¡☹!!

Chloe, Zoey y yo hemos entrado en modo pánico.

"Mira, Marcy, ¡te lo puedo explicar todo! ¡Dame una oportunidad, por favor!", le he rogado.

"Cuando la secretaria vuelva de su pausa, ¡seguro que se queda igual de pasmada y sorprendida que yo con lo que estáis haciendo! Y lógicamente informará al director Winston en cuanto entre por la puerta", ha seguido diciendo Marcy.

"De hecho, Marcy, te veo muy ocupada. ¡Y nosotras tendríamos que volver ya a clase!", ha exclamado Zoey. "¡Que tengas un buen día!".

Pero justo en ese momento Chloe ha saltado: "¡OH, NO! ¡¡Van a EXPULSARNOS del insti y nuestros padres van a MATARNOS!!", ha gritado histérica mientras se llevaba las manos a la barriga. "¡ARGH! ¡Creo que voy a VOMITAR! ¡Pero de verdad! ¡Quiquiriquí! ¡Muu! ¡Oink!".

"Vale, Marcy, creo que no hace falta que te cuente lo que estábamos haciendo, así que olvida que hemos estado aquí", he dicho frustrada.

"¡No! No tienes que explicar nada. Es muy obvio. ¡Estáis recogiendo donaciones para la biblioteca! ¡¡OTRA VEZ!! ¿Verdad? ¡Sois increíbles, chicas!

¡Qué suerte tiene nuestro instituto de contar con alumnas como vosotras tan dispuestas a ayudar! ¡El director Winston debería daros a las tres el premio a las mejores alumnas del año! ¡Estoy TAN orgullosa y me siento tan honrada de ser vuestra amiga!", ha dicho Marcy entusiasmada.

"A VER, ¿EN QUÉ OS PUEDO AYUDAR YO?".

Chloe, Zoey y yo nos hemos mirado y hemos soltado unas risas nerviosas.

¡UFF! ¡De qué poco!

Me alegraba que Marcy se ofreciera a ayudarnos.

Pero, tras aquellos encendidos cumplidos, pedirle que ABUSARA de su puesto en secretaría ayudándonos a colar ocho perros en el despacho del director Winston resultaba de repente mucho más difícil que antes.

Yo había decidido meterme en esto para ayudar a Brandon a salvar a Holly y sus cachorros.

Pero implicar a gente inocente como mis BFF... ¡y ahora a Marcy!

¡Me sentía como una SERPIENTE! ¡Una serpiente falsa, manipuladora y muy DESESPERADA!

No tenía más remedio que llamar a mis padres y contárselo todo. ANTES de que acabara metiéndonos a mis amigas y a mí en graves problemas.

"¡Gracias, Marcy! ¡¿Significa eso que no nos EXPULSARÁN por colar a Holly y sus cachorros en el insti?!", ha soltado de golpe Chloe.

Zoey le ha dado una patada para hacerla callar.

"¡AY! ¡Qué daño!", ha gemido Chloe mirando mal a Zoey.

"¿Cachorros? ¡¿Has dicho CACHORROS?!", ha exclamado Marcy excitada. "¡MADRE MÍA! ¡Me ENCANTAN los cachorros! ¡Llevo TODA LA VIDA pidiéndoles uno a mis padres! ¡¿Dónde están?! ¡¿Puedo verlos?! ¡¡POR FAVOOOOOOR!!".

Ahí es cuando he decidido NO llamar a mis padres para contarles lo de Holly y sus cachorros.

Pues ssssssí, ¿y qué sssi ssssoy una ssssssserpiente? ¡☺!

Le he contado a Marcy lo de Holly y sus cachorros y que estábamos ayudando a Brandon a salvarlos.

Luego le he dejado que los mirase un poco...

192

¡¡YO, ENSEÑÁNDOLE LOS PERRITOS A MARCY!!

Marcy no parecía decepcionada al descubrir que los libros para la biblioteca eran en realidad perros.

Cuando le hemos contado nuestro apuro perruno, Marcy también ha pensado que el despacho del director Winston sería el escondite PERFECTO hasta que acabaran las clases. ¡¡☺!!

Sobre todo porque no estaba previsto que el director regresara hoy en horas de clase.

"Marcy, te agradecemos la oferta, pero ¿estás SEGURA de que quieres hacerlo? Mira que si nos descubren podrían castigarte después de clase... lo peor!", le he advertido.

"Bueno, la verdad es que el castigo no es lo que me preocupa. Lo que me daría rabia es que me degradaran de ayudante de secretaría a ayudante de vestuario de los equipos. ¡No podéis imaginar cómo quedan los uniformes del equipo de lucha libre después de los entrenamientos! ¡Huelen a zumo de vertedero y gas metano!", se ha quejado. "¡¡PUAJ!!".

"Marcy, si prefieres no ayudarnos, lo entenderemos perfectamente", le he sugerido.

"Es verdad. No te pediríamos que hicieras algo tan loco y peligroso si no fuera por una buena causa como esta", ha explicado Zoey.

Chloe, en cambio, no ha sido de ninguna ayuda. Ha puesto pucheros como si estuviera a punto de llorar.

"Pero Marcy, ¡mira esas caritas tan monas!", ha balbuceado poniendo voz de bebé. "¡Mira qué boquitas de gugu tata ajo ajo! ¿A que sí? ¿A que sois bonitos?".

Como si les hubieran dado una señal, los ocho perros nos han puesto ¡los ojitos más grandes, tristes y angelicales posibles!

"¡Ooooooh!", hemos exclamado las cuatro.

"¡Los pobrecitos cachorritos están mu, mu tistes!", ha dicho Chloe con voz de pena.

"¡Vale, contad conmigo!", ha dicho Marcy casi a punto de llorar. "Habría que ser muy CRUEL para decir que no a esas caritas tan monas monísimas. ¡Mis amores!".

¡Chloe, Zoey y yo estábamos tan contentas que le hemos dado a Marcy un abrazo de grupo!

"¡Gracias, chicas!", ha dicho Marcy sonriendo. "La secretaria volverá en cualquier momento. ¡Tenemos que llevar a los perritos al despacho del director Winston cuanto antes!".

Supongo que algo dentro de mí ha entendido por fin que DE VERDAD estábamos a punto de esconder ocho perros en el despacho del director.

Porque de pronto se me ha disparado el corazón y me han empezado a sudar un MONTÓN las manos. Y he comenzado a sentir náuseas, ¡pero de las reales!

He respirado hondo, he asentido con la cabeza y he dicho despacito: "Muy bien, Marcy, ¡en marcha!".

¡Pero en el fondo estaba ATERRORIZADA!

Habría salido corriendo de la secretaría, gritando histérica...

¡Solo espero que mi plan de LOKOOOS funcione!

Marcy ha girado despacio el pomo de la puerta del despacho del director y...

¡¡CLIC!!

¡MADRE MÍA! ¡Casi nos da algo del susto!

"¡¡AAAH!!", ha gritado Chloe agarrándome el brazo.

La verdad es que en mi vida había oído un pomo de la puerta que hiciera tanto RUIDO.

Pero ¿y qué?

No por eso Chloe tenía que actuar como si hubiera visto a un asesino con un hacha, como mínimo.

"¡CHLOE! ¡Suéltame!", he gritado en voz baja.

"¡Perdón!", ha murmurado. "Estoy un poco nerviosa".

Las cuatro nos hemos puesto a recorrer el despacho de puntillas y a oscuras, con la jaula de los perros detrás.

Había algo tenebroso en el ambiente.

¡Como si en cualquier momento pudiera surgir de entre las sombras algún ser aterrador que nos clavaría sus largas y huesudas garras y nos haría algo HORRIBLE!

Algo como, no sé...

¡¡APUNTARNOS A UNA ESCUELA DE VERANO!!

¡SOCORROOOOOOO! ¡¡¡☹!!!

Marcy se ha detenido en mitad del despacho. "¡¡CHISSS!! ¿Lo habéis oído?".

¡Yo desde luego sí que lo había oído!

¡TOC-TOC!

¡TOC-TOC!

"¡OH, NO!", ha exclamado Zoey. "¡Me parece que están llamando a la puerta! ¡Estamos MUERTAS!".

"¡No es la puerta! ¡¡Son las RODILLAS de Chloe!!", he dicho con paciencia.

"¡Ya os he avisado de que estaba un poco nerviosa!", ha replicado Chloe. "¡Esto parece como mínimo una casa encantada! ¿Alguien tiene una linterna?".

"¡Basta! ¡Ya no puedo más!", ha dicho Marcy. "¡Voy a hacer lo que tenía que haber hecho al principio!".

Se ha dado la vuelta y se ha ido hacia la puerta.

NO podía creer que nos estuviera abandonando porque le había dado un ataque de pánico.

"¡Espera, Marcy, vuelve!", he susurrado histérica.

"¡Ya ves! ¡Parece que prefiere oler apestosos uniformes de lucha libre antes que estar con traficantes de cachorros!", ha gruñido Chloe. "¡TRAIDORA!".

¡CHLOE, ZOEY Y YO ATERRADAS
AL VER A MARCY YENDO HACIA LA PUERTA!

Al llegar a la puerta, se ha detenido.

Ha pulsado un interruptor que había en la pared y el despacho entero se ha iluminado.

Chloe, Zoey y yo nos hemos quedado boquiabiertas.

"¿Veis que bien? ¿A que ahora se ve mucho más?", ha dicho Marcy mientras descorría unas cortinas. "A vosotras no sé, ¡pero a mí tanta oscuridad me estaba poniendo la piel de GALLINA!".

A Chloe se le ha ido el miedo al ver lo que nos rodeaba.

Con la luz encendida, el despacho ya no parecía tanto un Templo Maldito.

De hecho, solo era muy aburrido.

Títulos pomposos colgados por las paredes, una estantería llena de libros polvorientos y un reloj junto a un marco con una foto de la familia. Sobre el escritorio, junto a un ordenador, había un tarro grande lleno de dulces.

No he podido evitar un escalofrío. Con suerte, hoy sería el PRIMER y el ÚLTIMO día de mi vida que entraba en el despacho del director.

He doblado la manta de los perros y la he puesto dentro del remolque.

Todos se habían acurrucado apretaditos y estaban a punto de echar su sueño de media mañana.

"Creo que están agotados del fiestón que han montado en el almacén del conserje. Seguro que pasan el resto del día durmiendo. Ni sabrás que están aquí", le he dicho a Marcy.

"¡Perfecto! Vendré a mirarlos cada hora entre clase y clase. Si surge algún problema, te enviaré un mensaje, Nikki", ha dicho Marcy. "De lo contrario, quedamos aquí al final de las clases para que os los llevéis".

"Gracias, Marcy, ¡nos salvas la vida!", le he contestado.

De pronto Marcy se ha parado en seco.

"¡¡CHISSSSSS!! ¡He oído otro sonido extraño!", ha
susurrado.

¡CHAC! ¡CHAC! ¡CHAC!
¡CHAC! ¡CHAC! ¡CHAC!

¡Ahora también lo había oído!

Marcy, Zoey y yo hemos mirado hacia la puerta
asustadas.

¿Eran pasos?

¡MADRE MÍA! ¿Y si resultaba que la secretaria
venía al despacho del director Winston para dejarle
el correo sobre la mesa y nos descubría?

He buscado rápidamente dónde podíamos escondernos.

"¡Al armario! ¡Rápido!", he gritado en voz baja.

"Chicas, chicas, ¡TRANQUILAS! ¡Soy YO!", ha dicho
Chloe riendo.

Nos hemos dado la vuelta y la hemos visto masticando sonoramente los últimos dulces de chocolate que quedaban en el bote del director Winston...

¡CHLOE, ZAMPÁNDOSE LOS DULCES DEL TARRO DEL DIRECTOR WINSTON!

"¡Disculpadme por comer como una cerda, pero esas minibarritas de chocolate son DELICIOSAS!".

Se ve que en los tan solo sesenta segundos en los que le habíamos dado la espalda, ¡Chloe había logrado meter casi todas las barritas que había en aquel enorme tarro por su boquita tan delicada!

Ahora en serio... ¿cómo lo había hecho?

¡¿Se DESENCAJA la mandíbula para engullir como hacen esas serpientes enormes de los documentales?!

En fin, pese a la última movida alimenticio-ruidosa de Chloe, los perros se habían dormido por fin.

Marcy ha apagado la luz y hemos corrido hacia secretaría.

Justo a tiempo.

Cuando íbamos a salir al pasillo para ir a clase, la secretaria nos ha aguantado la puerta.

"¡Que tengáis un buen día, chicas!", ha dicho sonriendo.

"¡Igualmente!", hemos contestado sonriéndole también.

Por suerte, los perritos están escondidos a salvo en el despacho del director Winston, donde nadie los va a encontrar.

Ahora lo único que tenemos que hacer es superar el resto de la jornada escolar, que dura unas CINCO horas.

¡Tan difícil no será, ¿verdad?!

¡¡☺!!

Chloe, Zoey y yo nos hemos comido el almuerzo lo más deprisa que hemos podido.

Luego hemos salido de la cafetería sin que nos vieran y hemos corrido al almacén del conserje según lo previsto.

¡MADRE MÍA! Parecía que había pasado por allí un huracán de nivel 3.

Creíamos que tardaríamos una ETERNIDAD en limpiar el CAOS que habían sembrado los perros. Aunque mis BFF y yo ODIAMOS recoger la habitación y DETESTAMOS cargar el lavavajillas, de alguna forma hemos conseguido acabar antes de que terminara la hora del almuerzo.

¡¿Cómo?!

Nos hemos puesto los guantes de goma y hemos combinado nuestros poderes para convertirnos en las famosas SUPERHEROÍNAS...

> # LAS TRES
> # LIMPIAFANTÁSTICAS

¡Por desgracia para nosotras, también hemos acabado OLIENDO como el almacén del conserje! ¡☹!

¡Que es una combinación de jabón, limpiador de WC y FREGONA mohosa!

¡PUAJJ! ¡¡☹!!

Total, que Marcy ha vigilado a los perros entre clase y clase y me había dicho que me mandaría un mensaje si algo iba mal. No tengo noticias de ella, de manera que ¡será que TODO VA BIEN! ¡☺!

¡Mira que si todo esto de cuidar de los perros acaba saliendo bien!

Solo faltan un par de horas para que termine la jornada escolar.

¡¡¡YAJUUUUUU!!!
¡¡☺!!

Hoy después de clase se celebra la gran feria de ciencias y los alumnos ya se están preparando en el gimnasio. La profa de bío había colgado el anuncio...

FERIA DE CIENCIAS MUNICIPAL

INSTITUTO WESTCHESTER COUNTRY DAY
Viernes, 2 de mayo, 16:00 h a 19:00 h
Sábado, 3 de mayo, 9:00 h a 16:00 h

¡PREMIOS EN METÁLICO! * ¡COMIDA! * ¡DIVERSIÓN!

Más información y hojas de inscripción
en la web del instituto WCD.

Como la mitad de los alumnos de nuestra clase de bío estaban en el gimnasio preparándose para la feria (¡incluido Brandon!), la profa nos ha dicho que podíamos dedicar la hora a repasar en silencio para el examen de la semana que viene.

Se agradecía tener ese tiempo para estudiar bío, pero, sinceramente, estaba más aburrida que una ostra.

¿Por qué iba a estudiar el tema de bío HOY si podía PROCRASTINAR y dejar el estudio para la SEMANA QUE VIENE?

Total, que me he puesto a mirar los mensajes de texto y no había ninguno de Marcy, por lo que he pensado que los perros estarían bien. ¡☺!

¡Y ya quedaba poco para terminar el día!

PERO por si al final SÍ que hubiera algún problema, quería estar totalmente preparada.

¡Así que he aprovechado para escribir un generador de excusas, que al menos es divertido! ¡¡☺!!...

GENERADOR DE EXCUSAS PARA EXPLICAR POR QUÉ HAY PERROS EN EL DESPACHO DEL DIRECTOR

Para: Director Winston

De: Nikki J. Maxwell

Estimado señor director:

Se estará preguntando por qué hay ocho perros en su despacho. Permítame que se lo explique.

Pero antes debo confesarle —y tiene que creerme— que estoy tan:

☐ sorprendida
☐ confundida
☐ hambrienta
☐ calva

como usted respecto a esta situación tan alarmante.

Esta mañana, cuando iba de camino a mi aula,
me ha parecido oír a alguien o algo:

   ☐ arañar

   ☐ vomitar

   ☐ cantar

   ☐ cacarear

en una de las puertas del instituto.

He imaginado que sería:

   ☐ el repartidor de pizzas

   ☐ un payaso del circo

   ☐ una ardilla rabiosa

   ☐ un vampiro sediento de sangre

que intentaba entrar.

Así que he abierto la puerta lo justo para
mirar. Y en ese momento, sin que pudiera
detenerlos, han entrado corriendo ocho
perros.

He intentado atraparlos, pero eran más rápidos que:

- ☐ el rayo
- ☐ un episodio incontrolado de diarrea
- ☐ una babosa resbalando por el hielo
- ☐ un piloto de carreras con las cuatro ruedas pinchadas

y de pronto han desaparecido pasillo abajo.

He buscado por todos y todas:

- ☐ las clases
- ☐ los baños
- ☐ las casillas
- ☐ el almacén del conserje

pero NO los he encontrado.

Me he sentido tan frustrada que quería:

- ☐ zamparme un sándwich de mantequilla de cacahuete y jalea

☐ hurgarme la nariz
☐ bailar la "Macarena"
☐ darme un baño de espuma

y luego llorar como una histérica.

¡El único sitio donde AÚN no había buscado era su despacho! Porque no quería violar ninguna norma del reglamento escolar y que eso me ocasionara:
☐ una carta de expulsión definitiva
☐ un castigo después de clase
☐ un sarpullido en el culete
☐ un grano en la nariz grande como una pasa

lo que lamentablemente podría incorporarse a mi expediente escolar definitivo e impedir que me admitieran en cualquiera de las universidades importantes.

Por lo tanto, no tenía más remedio que entrar a su despacho a buscar los perros.

Como es lógico, en cuanto he visto a los
perros allí, yo inmediatamente:

☐ me he hecho pis encima
☐ me he desmayado
☐ me he sacado una selfie
☐ he pisado una caca de perro

lo cual ha sido una experiencia tan
traumática que tardaré años en recuperarme.

Por suerte, los perros solo estaban:

☐ comiéndose informes de notas de los
  alumnos
☐ bebiendo directamente del váter
☐ mordisqueando su sillón de piel
☐ echando una siesta

de manera que su despacho no ha sufrido
grandes daños.

He salido del despacho para llamar al Refugio

de Animales Fuzzy Friends para que se
llevaran a los perros y les buscaran un hogar
y cuando he vuelto me lo he encontrado a
usted, que los había descubierto

Nunca más abriré la puerta del instituto a:
  ☐ cinco lobitos que tiene la loba
  ☐ seis elefantes que se balanceaban
  ☐ siete cabritos y un lobo
  ☐ ocho perritos leré que se colaron leré

porque ya he aprendido la lección.

Atentamente,

NIKKI J. MAXWELL

¡☺!

¡Cuesta creer que un día que ha empezado tan MALÍSIMAMENTE esté acabando tan PERFECTAMENTE! ¡☺!

Chloe, Zoey y yo, que somos ayudantes de biblioteca, estábamos colocando libros en los estantes cuando ha venido a vernos Brandon.

No nos habíamos visto en todo el día porque los dos habíamos estado bastante ocupados.

"¡Hola, Nikki! Quería volver a darte las gracias por el compost que nos has pasado para el proyecto de ciencias. Lo que sobraba se lo he dado a la señora Wallabanger y se ha puesto contentísima. Dice que lo utilizará para arreglar su jardín floral".

"¡No es nada! ¡Me encanta ayudar!", he dicho sonriendo.

De pronto Brandon se ha puesto SUPERserio.

"Pero sobre todo gracias por ayudarme con Holly y sus cachorros. Te has portado... ¡DE LUJO!", ha dicho sonrojándose y apartándose las greñas del flequillo de los ojos.

Después se ha quedado mirando directamente a... ¡al pozo hondo y oscuro de mi alma frágil y torturada!

¡MADRE MÍA! ¡Casi me derrito en un charco de... babas pegajosas sobre el mostrador de la biblioteca!

¡¡YAJUUUUUUUU!! ¡☺!

He decidido sincerarme con Brandon, porque la VERDADERA amistad se basa en la sinceridad, la confianza y el respeto mutuo. ¡¿Verdad?!

"¡Gracias, Brandon! Debo confesar que he pasado algún momento difícil con los perros. Pero en general todo ha ido muy bien ¡y me he divertido mucho con ellos!".

Vale, es verdad, no estaba sincerándome DEL TODO.

¡Sí, lo sé! Había omitido el detalle de que, aunque

mi madre me había dicho que NO podía traer ningún perro a casa, yo no le había hecho caso y los había escondido en mi dormitorio.

Tampoco he mencionado que mi madre había decidido no ir a trabajar esta mañana y que eso significaba que no podía dejar los perros en casa como había previsto.

También me he saltado la parte en la que he decidido traer los perros al instituto.

Y el detalle de que Chloe, Zoey y yo los habíamos escondido en el almacén del conserje.

Y que Marcy nos había ayudado a colarlos en el despacho del director Winston, que hoy pasaba el día fuera del instituto.

Vale, sí, se podría decir que en el fondo he MENTIDO a Brandon al NO contarle ciertas cosas. Más o menos.

Pero, ¡no te lo PIERDAS! ¡Brandon ha dicho que pensaba mostrarme su agradecimiento invitándome un día de estos al Dulces Cupcakes!

¡¡YAJUUUUU!! ¡¡☺!!

Me ha hecho muchísima ilusión (¡tanto como a las cotillas de Chloe y Zoey!)...

Además, es igual, falta menos de UNA hora para ir con Marcy a sacar los perros del despacho del director.

Y empezará el turno de Chloe.

Chloe y Zoey tienen mucha SUERTE porque SUS padres saben lo de los perros. No tendrán que andar escondiéndolos en su habitación como he hecho yo.

¡Contenta estoy de haber sobrevivido las últimas veinticuatro horas! ¡Y los perritos también!

¡¡YAJUUUUUUU!! ¡¡☺!!

Sin ánimo de presumir, ¿eh?

Pero he sido la...

¡¡CUIDADORA DE MASCOTAS

PERFECTA!!

¡¡☺!!

A ver... ¡QUE NO CUNDA EL PÁNICO! ¡¡☹!!

¡¡Acabo de recibir unos mensajes de MARCY!!

MARCY: Os estoy esperando en el despacho de Winston. Perros bien. Hasta ahora.

YO: ¡Genial! En mi taquilla esperando a Chloe y a Zoey. Estaremos ahí dentro de un par de minutos.

MARCY: Por cierto, se han quedado sin agua en el cuenco. ¿Les puedo poner más?

YO: Sobre todo no abras la jaula. Ahora nada de agua.

MARCY: ¿Seguro? Se les ve muy sedientos.

YO: ¡¡¡¡¡NO ABRAS LA JAULA!!!!!

MARCY: ¡UPS! ¡¡☹!!

YO: ¿Qué ha pasado?

YO: ¿Marcy?!!!!!!!!!!!!

MARCY: ¡¡¡¡¡SOCORROOOOOOOOO!!!!!

Esto es lo que ha pasado...

¡MARCY ABRE LA JAULA DE LOS PERROS! ¡¡☹!!

Estaba a punto de salir corriendo a rescatar a Marcy cuando he oído que alguien me llamaba.

"¡NIKKI! ¡Espera! ¡Tengo que hablar contigo!".

Brandon ha llegado corriendo y se ha apoyado en mi taquilla para recobrar el aire.

"¡De qué poco! ¡He corrido desde el gimnasio hasta la biblioteca y luego hasta aquí! ¡Menos mal que te he encontrado a tiempo! Antes se me ha olvidado decírtelo: ¿hay alguien en tu casa ahora mismo?".

En ese momento ha llegado otro mensaje de Marcy.

> MARCY: Estoy intentando devolver los perros a la jaula, ¡pero es imposible! ¿Dónde estááaaaais?

"¿En mi casa ahora? Pues precisamente está mi madre, que no ha ido a trabajar. ¿Por qué lo preguntas?".

"¡Perfecto! Como tengo que estar en la feria de ciencias hasta las siete de la tarde, he enviado a tu casa la furgoneta de Queasy Cheesy para que

cargue a los perros y los lleve a casa de Chloe.
¿Te va bien?".

Me he quedado mirando a Brandon boquiabierta.
"¡¿Que ya has enviado la furgoneta a MI CASA?!".

"Sí", ha contestado Brandon.

"¡¿PARA TRASLADAR A LOS PERROS?!".

"Sí".

"¡¡¡¿A MI MADRE?!!!", he dicho prácticamente gritando.

"¿Es un problema? ¿No has dicho que estaba en
casa?", ha preguntado Brandon hecho un lío.

"¡Está en casa! Quiero decir que ESTABA en casa...".

Entonces ha llegado otro mensaje de Marcy:

MARCY: ¿DÓNDE ESTÁAAAAAIS? ¡Los
perros están corriendo arriba y abajo
tocándolo todo! ¡¡¡SOCORROOOO!!!

"Mira... un mensaje de mi madre. Dice que se ha llevado a los perros... ¡de COMPRAS! Que tardará al menos una hora en volver".

"¿De compras? ¡Caray!", ha exclamado Brandon. "Bueno, pues le diré al conductor que espere en la entrada".

"¡NO! ¡Imposible! Quiero decir, vale. Pero es que después de comprar quiere ir a, er... ¡al SPA!".

"Nikki, ¿estás diciéndome que tu madre va a llevar a ocho perros de compras y luego al spa?".

"¡Es un spa CANINO! Lo lleva mademoiselle Bri-Bri, la señora con la que hablaste ayer por teléfono. Y allí se van a pasar, no sé, diecisiete horas como mínimo, ¡de manera que mejor que el conductor no se espere!".

En ese momento han aparecido Chloe y Zoey.

"¡Hola, Nikki! ¿Va todo bien?", ha preguntado Zoey.

"¡Se te ve un poco nerviosilla!", ha añadido Chloe.

"¡Bueno, por aquí las cosas ESTÁN un poco complicadas, sí!", ha explicado Brandon. "Nikki me estaba contando lo de los perros. ¡Pero hay partes que cuesta creer!".

"¡¡¿LE HAS CONTADO A BRANDON LO DE LOS PERROS?!!", han exclamado las dos a la vez.

"¡SÍ! Quiero decir, ¡NO! Perdón, ¡es que ahora mismo estoy hecha un verdadero lío!", he dicho entre dientes.

"Nikki me ha dicho que los perros no están ahora en su casa", ha dicho Brandon.

"¿Entonces ya te ha contado que los hemos traído al instituto?", ha dicho Chloe riendo.

"¡¿Y que han puesto patas arriba el almacén del conserje?!", ha añadido Zoey mondándose.

"Nikki, ¿por qué nos haces esas muecas tan raras mientras señalas a Brandon?", ha preguntado Chloe.

"¡UPS!", han exclamado las dos a la vez.

Brandon ha empezado a atar cabos y a flipar. "A ver, a ver si lo he oído bien: ¿acabáis de decir que habéis traído los perros al INSTITUTO? ¡¿Y que los habéis metido en el ALMACÉN DEL CONSERJE?!".

"¿Cómo íbamos a decir eso?", ha mentido Chloe.

"¡Pero es que Nikki me acaba de decir que su MADRE se los ha llevado de COMPRAS y a un SPA canino!".

"¡¿TU MADRE SE HA LLEVADO A LOS PERROS DE COMPRAS Y A UN SPA CANINO?!", han gritado Chloe y Zoey al mismo tiempo.

"Pues sí. Digo, ¡claro que no!", he contestado.

"Bueno, Nikki, ahora sí que no entiendo nada", ha dicho Brandon negando con la cabeza. "Si los perros NO están en tu casa NI en el armario del conserje NI de compras con tu madre NI en el spa canino, ¿DÓNDE narices están AHORA?".

Brandon, Chloe y Zoey se han quedado mirándome una ETERNIDAD, esperando mi respuesta.

De pronto ha aparecido Marcy corriendo por el pasillo, ¡gritando como una poseída!...

¡Vaya, que NO he tenido que responder a la pregunta de Brandon, porque se me ha adelantado MARCY! ¡☺!

"¡¿CÓMO?! ¡¡¿Que los perros están en el despacho del director Winston?!! ¡¿En SERIO?!", ha gemido Brandon.

"¡Tan en SERIO como que nos llamamos como nos llamamos!".

¡Y los cinco hemos salido disparados hacia el despacho del director!

¡¡☹!!

...

¡¡¡AAAAAAAAAAAAAHHHH!!!

...

(Esa era yo gritando.)

¡MADRE MÍA! ¡Estaba tan ENFADADA conmigo!

¿A QUIÉN se le ocurre creer que podría tener ocho perros escondidos en mi cuarto? ¿Y llevarlos al instituto? ¿Y esconderlos en el almacén del conserje? ¿Y colarlos en el despacho del director Winston?

....
¡¡¡¡¿En qué estaba pensando?!!!!

Y cuando creía que lo peor ya había pasado, ¡pues no!

Cuando los cinco hemos llegado al despacho del director, hemos entreabierto la puerta y ahí estaban: ¡ocho perros sueltos correteando por todas partes!

JUNTO a un director muy confundido y mosqueado...

Lógicamente, cuando el director Winston nos ha visto ahí, ha explotado: "¡¿Queréis hacer el favor de explicarme POR QUÉ hay una jauría de PERROS SALVAJES sueltos en mi despacho?!", ha gritado.

"¡Perdón! ¡TODO es c... culpa mía!", he murmurado.

"¡No! ¡La culpa es MÍA!", ha dicho Marcy agachando la cabeza.

"Director Winston, ¡asumo toda la responsabilidad por estos perros!", ha anunciado Brandon solemnemente.

"¡Yo también estoy metida!", ha dicho Zoey con tristeza. Y todo el mundo se ha vuelto a mirar a Chloe.

"Yo solo he vaciado su tarro de dulces", ha dicho encogiéndose de hombros. "¡Pero no soy traficante de perros!".

¡¡NO me podía creer que Chloe nos cargara el muerto A TODOS los demás!!

"¡Espero que el propietario de los perros hable ahora mismo o empiezo a llamar a TODOS vuestros padres!".

Había tanto silencio que se podía oír el vuelo de una mosca. De pronto oímos una voz amable en la puerta...

PERDONE, SEÑOR DIRECTOR, PERO ESTOS PERROS SON PARTE DE MI PROYECTO PARA LA FERIA DE CIENCIAS. ¡NO SÉ CÓMO SE ME HAN ESCAPADO! ¡LO SIENTO MUCHO!

¡¡ERA MAX CRUMBLY!!

Nos hemos quedado todos alucinados al verlo ahí. Y el pobre director Winston estaba tan confundido que no sabía a QUIÉN creer. Hasta que Max ha llamado a Holly y los ocho perros lo han derribado y lo han cubierto de besos...

Max se ha presentado al director y le ha dicho que iba al instituto público South Ridge.

El proyecto de ciencias que presentaba con Brandon se titulaba "Aplicación de la destilación para convertir agua sucia en agua potable".

Y consistía en aprovechar el agua que va saliendo de la pila de compost y del agua de baño (de los perros) y convertirla en agua limpia y potable.

El director Winston se ha quedado MUY impresionado con Max Y con su proyecto de ciencias. Al parecer, tanto como Chloe, Zoey y Marcy. Por alguna extraña razón, las TRES sufrían de pronto un ataque agudo de risa tonta.

NO podría creer la forma en la que estaban FLIRTEANDO con Max.

Total, mientras el director Winston hablaba con Max, Brandon ha reunido a los perros y los ha devuelto a jaula y Chloe, Zoey y Marcy han ordenado el despacho.

¡MAX, DISTRAYENDO AL DIRECTOR MIENTRAS EFECTUÁBAMOS EL CONTROL DE DAÑOS!

Cuando Max estaba a punto de salir, Brandon y él se han mirado.

Entonces Brandon se ha aclarado la garganta.

"Señor director, si no le importa, tal vez convendría que ayudáramos a Max con los perros".

"Desde luego. ¡Imagínese que se sueltan durante la feria de ciencias!", he añadido.

"¡Buena idea!", ha dicho el director Winston. "¿Por qué no vais todos a ayudar a Max a vigilarlos?".

"Bien pensado, será mejor que me los lleve a casa antes de que causen más problemas", ha dicho Max.

"Pues es verdad, Max. ¡ESA idea es aún mejor!", ha contestado el director con una risita.

Brandon ha agarrado el remolque ¡y los seis hemos salido disparados de allí!

Al llegar con los perros al pasillo, nos hemos sentido todos MUY aliviados. Tanto que hasta nos hemos chocado los cinco.

"¡Buen trabajo, Crumbly!", ha exclamado Brandon.

"¡Madre mía! ¡Creía que el director Winston iba a llamar a nuestros padres!", he dicho entre dientes. "¡Casi me hago pis encima!".

Lógicamente, todos se han reído con mi bromita.

"Lo que me recuerda que aún tengo que llamar al conductor para decirle que NO vaya a buscar los perros a tu casa, Nikki!". Ha sacado su móvil. "Le diré que mejor venga al instituto".

¡Lo importante es que yo había conseguido superar otra CATÁSTROFE! ¡Gracias a MAX CRUMBLY!

¡Ese chaval es una CAÑA!

¡¡¡☺!!!

¡Estoy tan AGOTADA por todo el follón perruno que me dormiría de pie!

En cuanto hemos salido del despacho, Chloe se ha ido pitando a su casa para prepararla para los perros.

Y, como Brandon tenía que estar en la feria de ciencias, hemos quedado en que se los llevaría yo.

Debo confesar que para mí ha sido un ENORME alivio saber que NO tendría que seguir ESCONDIÉNDOLOS de mis padres.

Que al final lograra tenerlos en mi habitación sin que se enteraran ha sido un auténtico milagro.

Tras un viaje en la furgoneta envuelta por el ruido de los perros, he llamado impaciente al timbre de Chloe.

¡DING-DONG! ¡DING-DONG! ¡DING-DONG!

Lo primero que pensaba hacer al llegar a casa era relajarme con un buen baño de espuma. ¡☺!

¡Ay, no! El cuarto de baño de arriba todavía apestaba a estiércol y mantequilla de cacahuete. ☹ ¡¡PUAJ!!

Bueno, también podía relajarme terminando una acuarela que había empezado el fin de semana anterior.

Pero no sería fácil, teniendo en cuenta que los perros se habían comido una pata de mi caballete. ☹

En fin, siempre podía ponerme el pijama y las pantuflas de conejitos para holgazanear y escribir mi diario. ☺

¡TAMPOCO! ¡Los perritos se habían hecho pis en el pijama y habían arrancado las orejas a los conejitos! ☹ Ahora parecían ratas peludas (¡mis pantuflas, no los perros!).

Mis vueltas de coco se han visto interrumpidas cuando por fin me han abierto la puerta. Era alguien que llevaba una mascarilla y un pijama de quirófano, guantes de látex y un espray de limpieza...

YO, PREGUNTÁNDOME POR QUÉ CHLOE IBA
VESTIDA TAN RARA.

"Hola, Nikki. Sí, soy yo. ¿Has recibido mi mensaje? Lo siento mucho, de verdad", ha dicho con tristeza.

A mí me ha dado la risa tonta.

"¿Qué pasa, Doctora Juguetes? ¿Te he pillado en mitad de una operación?", he bromeado.

Chloe se ha quitado la mascarilla y me ha lanzado una mirada asesina.

"¡No, listilla! Resulta que he estornudado y a mi tío le ha dado un ataque de histeria. Y ahora me obliga a llevar puesto esto y ADEMÁS rociar la sala con desinfectante", se ha quejado. "Resulta que sufre germofobia. ¡Se nos ha presentado en casa hace unas horas y no quiere volver a la suya porque su vecino de al lado acaba de adoptar un pe e erre o!".

"¡¿QUÉ?! ¿Acabas de deletrear 'perro'?".

"¡Chisss!", me ha chistado mientras se volvía nerviosa.

"Solo de oír esa palabra le puede dar un patatús. Tenemos que vigilar MUCHO lo que decimos".

"¡Chloe! ¿Quién está en la puerta?", ha gritado un hombre desde la cocina. "Dile que no puede entrar sin mascarilla y guantes de látex. ¡Ya tenemos bastantes gérmenes en la casa!".

"¡Deja de preocuparte, tío Carlos, por favor!", ha contestado Chloe bastante mosqueada.

Pero él ha seguido hablando...

"Y, si es el cartero, ¡ves llamando al Centro de Control de Epidemias! A saber qué gérmenes mortales viven en esos sobres ensalivados y lamidos por la gente que este hombre lleva de una casa a otra. ¡No me extrañaría nada que estuviera extendiendo la peste bubónica! ¡Me está dando taquicardia solo de pensarlo!".

"¡Tío Carlos, es mi amiga Nikki!", le ha contestado Chloe. "¡Tranquilízate, POR FAVOR!".

"¿Cómo voy a tranquilizarme cuando estás ahí plantada con la puerta abierta? ¿NO ves que estás dejando entrar docenas de virus por minuto transportados por el aire? ¡Ahora entiendo por qué me encuentro mal!", se ha lamentado mientras desinfectaba la sala.

EL TÍO CARLOS DE CHLOE ES
UN POCO, ER... ¡RARITO!

"Lo siento, Nikki. No le hagas caso", me ha susurrado. "¿Qué querías?".

"¡Chloe, lo he OÍDO!", ha gritado. "¡A pesar de mi congestión nasal y de una infección de oído grave a consecuencia de mis alergias, aún NO estoy sordo!".

Chloe ha puesto los ojos en blanco.

"Pues, verás, Chloe... he venido a dejarte estos, er... ocho paquetes... como habíamos quedado", he dicho torpemente señalándole los perros.

"Veo que NO has oído el mensaje que te he dejado en el móvil", ha dicho Chloe suspirando.

"¿Qué mensaje?", he preguntado. "Si ha sonado el teléfono, seguro que no lo he oído, porque los chuchos ha armado un gran JALEO en la furgoneta".

Chloe se ha estremecido al oír la palabra "chuchos".

"¡UPS!", he exclamado entre dientes. "¡Perdón!".

"¡¿CHUCHOS?!", ha exclamado su tío. "¿Alguien acaba de decir 'CHUCHOS'? ¡Lleváoslos antes de que me empiece la reacción alérgica! ¡Oh, no! ¡Ya empieza a picarme!".

"¡No, tío Carlos! Nikki ha dicho 'Ven que te achucho'. ¡Es que es muy cariñosa!", le ha mentido Chloe. "¡Échame un cable, Nikki, por favor!", me ha susurrado dándome un codazo.

"¡Eres mi mejor amiga amiguísima, Chloe!", he dicho en voz muy alta. "¡Te quiero un montón! ¡Ven que te ACHUCHO! ¡Dame un abrazo!".

El cachorro más pequeñito, una perrita, ha ladrado. Chloe y yo la hemos hecho callar.

"¡Chloe! ¡¿Eso que acabo de oír era un PERRO?!", ha chillado el tío Carlos.

Entonces se ha puesto a toser melodramáticamente. "¡Me está dando un mareo y me falta el aire! ¡Creo que es un ataque de asma! ¡Chloe, deprisa, llama a una ambulancia!".

"¡Tío Carlos, tú NO tienes asma!", ha gruñido Chloe. "Además, en la última hora ya me has hecho llamar a urgencias tres veces. ¡Seguro que ya han bloqueado nuestro número de teléfono!".

"¡Pues usa tu móvil!", le ha contestado su tío. "¡Y el hecho de que ahora no tenga asma no significa que no la vaya a tener después en algún momento del día!".

Chloe parecía a punto de estallar.

"¿Por qué no cuido yo de los perros y TÚ cuidas de mi tío?", ha mascullado.

"¡Lo he OÍDO!", ha vuelto a gritar el tío Carlos. "¿Estás SEGURA de que no hay PERROS en esta casa?".

"De verdad, Nikki, ¡lo siento muchísimo!", se ha disculpado Chloe. "Mis padres ya no me dejan cuidar de los perros porque mi tío se va a quedar todo el fin de semana. Y, por desgracia, dice que es alérgico a ellos. ¡Y, prácticamente, a TODO lo demás!".

"No pasa nada, Chloe, lo entiendo perfectamente", le he dicho para tranquilizarla.

"¿Y Zoey? A lo mejor se los puede quedar dos días, ¿no?", ha sugerido Chloe.

"No creo. Hoy es el cumpleaños de su madre y Zoey la lleva a cenar fuera. Tardarán en llegar a casa. Tendré que quedármelos yo otro día", he dicho con un suspiro.

Ya me estaban dando retortijones ante la idea de tener que volver a esconder los perros en casa.

Aunque yo estaba agotada, me daba más pena Chloe.

Preferiría pasar el fin de semana con una jauría de perros salvajes que con el quejica, algo chiflado y germófobo del tío Carlos.

Chloe me ha ofrecido ayuda para volver a cargar los perros en la furgoneta.

Cuando íbamos ya hacia el vehículo, ha aparecido su madre.

"¡Hola, señora García!", he dicho sonriendo.

"¡Hola, mamá!", ha dicho Chloe. "Tranquila, que Holly y sus cachorros ya se van".

"¡Hola, chicas! ¿A ver? ¡Oh, pero estos CACHORRITOS son ADORABLES!", ha chillado la señora García. "¡Chicas, tengo buenas noticias para las dos!".

¡¡YO, ESPERANDO QUE LAS BUENAS NOTICIAS SEAN QUE EL TÍO CARLOS SE VA A SU CASA!!

"La tropa de niñas scout Daisy duerme hoy en casa de una de ellas para ganar la insignia de cuidadoras de mascotas. Como Chloe no puede tener los perros, la líder de tropa, que es mi hermana, dice que ellas lo harían ENCANTADAS, si te parece bien, Nikki".

"¡Me parece una idea genial!", ha exclamado Chloe. "Y mañana por la mañana mi madre y yo podemos ir a buscarlos y llevarlos a casa de Zoey. ¡Tú estás agotada y necesitas descansar, Nikki!".

La señora García ha añadido: "A mi hermana le encantan los perros y tiene uno. Holly y sus cachorros estarán en buenas manos. Y para las dieciséis niñas será una experiencia increíble. ¿Quién sabe? A lo mejor hasta le encontramos hogar a algún cachorro.

"¡Pues a mí también me parece fantástico!", he dicho emocionada. "Voy a comentárselo a Brandon a ver qué dice él".

He llamado a Brandon desde el móvil y le he explicado lo que pasaba con el tío de Chloe y que la hermana de la señora García se había ofrecido a vigilar a los perros (junto con su tropa Daisy). A Brandon le ha parecido perfecto.

Así pues, ¡todo arreglado!

La señora García se ha ofrecido a dejar los perros en la casa donde las scouts iban a pasar la noche y llevarme luego a casa.

¡Parece que mi DRAMA perruno se ha terminado y que yo he SOBREVIVIDO!

¡¡¡YAJUUUUUUUUUUU!!!

¡¡☺!!

A Brianna y yo nos habían gustado TODOS los perros, pero a la que más queríamos era a la más pequeñita.

Era MONÍSIMA, curiosa y lista y le encantaba jugar con los peluches de Brianna.

Iba a echar de menos cuidarlos, pero estaba orgullosa de haber contribuido a que no les pasara nada.

También había aprendido que los cachorros pueden ser, además de muy MONOS, muy revoltosos.

Decir que los siete cachorros de Holly son traviesos se queda corto.

Eran como siete demonios de Tasmania con aliento de cachorro y sin ningún dominio del orinal.

Ya tenía ganas de verlos la semana que viene en Fuzzy Friends.

El caso es que Chloe y yo no teníamos ni idea de dónde iban a dormir las niñas scout. Pero hemos reconocido la casa en cuanto la señora García ha aparcado la furgoneta en la entrada.

Primero hemos FLIPADO.

Y nos hemos quedado petrificadas.

Luego nos hemos empezado a reír por lo bajo.

Hasta que nos ha entrado la risa tonta.

¡Y ya no hemos podido parar de reír!

Entre los ocho perros y las dieciséis scouts daisies (incluida la mimada de MI hermana Brianna) nos ha dado mucha, mucha pena...

¡¡MACKENZIE HOLLISTER!!...

¡La pobre MacKenzie se merecía todos los momentos ~~caninos~~ cagones desternillantes que le esperaban!

Iba a ser una noche MUY, MUY larga.

¡Sobre todo teniendo en cuenta que le he sugerido a Brianna que *mademoiselle* Bri-Bri abra un nuevo PERRI-SPA en el enorme y lujoso dormitorio de MacKenzie!

¡Así podrá ofrecer sus faciales de mantequilla de cacahuete a la hermana de MacKenzie, Amanda, a las otras catorce niñas Y a los siete perritos! ¡GRATIS!

¡Es broma! ¡¡☺!!

¡¡PARA NADA!!

¡¿Soy o no soy MAQUIAVÉLICA?!

¡JA-JA-JA-JA-JA!

¡¡☺!!

Estaba tan agotada por lo de los perros que he dormido hasta pasada la hora del desayuno... y la del almuerzo.

Cuando he bajado a la cocina para picar alguna cosa, Brianna ya había regresado de su noche fuera de casa y había vuelto a marcharse, para ir a clase de ballet.

Es decir, que no había podido hablar con ella en todo el día.

Me MORÍA de ganas de saber cómo había ido todo con los cachorros. ¡Y con su nuevo PERRI-SPA! ¡☺!

Mi madre me ha dicho que Brianna se lo había pasado muy bien durmiendo fuera y cuidando de los perritos. Y que había ganado la insignia según la cual podría ser una propietaria de mascota responsable.

He decidido ir con mi madre a buscar a Brianna a ballet.

¡Y al llegar a la academia me he enterado de una cosa ESCANDALOSA!

Pero primero tengo que dejar algo muy claro.

Yo no soy de esas personas que difunden CHISMES sobre los demás.

Y no hablo de la gente a sus espaldas (a diferencia de la mayoría de los GPS, Guapos, Populares y Simpáticos, que chismorrean sobre ti directamente en tu CARA).

Pero no he podido EVITAR enterarme del último TRAPO SUCIO de cierta reina del melodrama ladrona de diarios que acaba de entrar en la Academia Internacional North Hampton Hills.

Y procedía de una fuente MUY fiable.

En concreto, de la hermanita de MacKenzie, AMANDA.

Yo solo intentaba ser amable cuando, inocente, le he preguntado...

¡YO, HABLANDO CON LA HERMANITA
DE MACKENZIE, AMANDA!

"Bueno, Amanda, si es un secreto, no me lo cuentes", le he dicho dándole un abrazo. "Aunque estoy CONVENCIDA de que este año Papá Noel os va a traer a ti a tu mejor amiga Brianna un montón de juguetes, ¡¡porque sois las hermanas PEQUEÑAS más dulces que una hermana MAYOR puede tener!!", he ~~mentido~~ dicho.

"¿Lo dices de verdad?", ha preguntado Amanda entre risitas. "Vale, pues el gran secreto de MacKenzie es...".

"¡Espera!", ha interrumpido Brianna sonriéndome como una serpiente con tutú rosa. "Como somos hermanas pequeñas tan dulces, ¿nos llevarás a Amanda y a mí a ver *El Hada de Azúcar al rescate de la isla del Bebé Unicornio, episodio 9?!* ¡POR FAVOOOOR!".

"¡Huala! ¡Una peli del Hada de Azúcar! ¡Sería una PASADA!", chilló Amanda.

He lanzado una mirada asesina a Brianna.

NO podía creer que se aprovechara de mí así.

Pero, si quería saber lo último sobre MacKenzie, no me quedaba más remedio que ceder a sus demandas.

"Bueno, vale. Pero antes tendré que hablar con tu madre, Amanda", le he dicho. "Ahora volvamos al gran secreto de MacKenzie, ¿vale? ¡SUÉLTALO!".

Amanda ha cogido aire y ha empezado otra vez: "Pues resulta que cuando MacKenzie llegó al cole nuevo...".

"¡Una cosa!", ha interrumpido Brianna. "¿Nos comprarás palomitas de mantequilla bien calentitas?".

"¡SÍ, VALE!", he dicho mosqueada. "¡Palomitas también!".

"¡Y ositos de gominola!", ha añadido Brianna.

Esa mocosa mimada estaba exprimiéndome más que a un limón.

¡NO podía creer que la AVARICIOSA de mi hermana estuviera manipulándome de esa forma!

¡¡Hay que tener MORRO!!

"¡Sí! ¡Ositos de gominola también!", he dicho apretando los dientes. "Pero nada más. ¡Basta! ¡Hasta aquí hemos llegado!".

Brianna me ha sonreído como un bebé tiburón...

¡¡Nikki, eres la MEJOR hermana del MUNDO!!

"A ver, Amanda, ¿dónde nos hemos quedado antes de que Brianna nos INTERRUMPIERA de esa forma?".

Amanda ha bajado mucho la voz.

Y me ha contado parte de lo que le había pasado a MacKenzie en su colegio nuevo.

¡MADRE MÍA!

Lo que me ha contado era...

¡INCREÍBLE!

Ahora ya entiendo el comportamiento de MacKenzie cuando la vimos en Dulces Cupcakes.

¡CASI he sentido PENA por ella!

Obsérvese que he dicho "casi".

Pero ahora mismo tengo que dejar de escribir.

Porque para celebrar que Brianna ha ganado la insignia de cuidadora de mascotas, ¡¡mamá nos lleva al Crazy Burger!!

¡¡YAJUUUUUUU!! ¡☺!

Tengo tanta hambre ahora mismo que me comería uno de esos sombreros con forma de hamburguesa de Crazy Burger, con ojos locos incluidos.

¡¡☺!!

Hace una hora he estado hablando con Zoey por teléfono. Me ha contado que Chloe le había dejado los perros a mediodía y que desde entonces se lo estaba pasando bomba con ellos.

¡Hay tanto SILENCIO en MI habitación desde que se han ido los perritos! Los echo mucho de menos.

Bueno, el caso es que sigo alucinando por lo que me he enterado hoy de MacKenzie.

Se ve que su primer día en el colegio nuevo fue bien y todo el mundo fue muy AMABLE con ella, pero el segundo día fue un desastre.

MacKenzie estaba en el cuarto de baño cuando entró un grupo de las chicas más populares del centro. Se estaban riendo a carcajadas de algo y les oyó mencionar su nombre.

Cuando miró desde el cubículo...

¡¡... LAS VIO RIÉNDOSE Y BURLÁNDOSE
DE AQUEL VÍDEO DE ELLA CON EL BICHO
EN EL PELO!!

¡¡MACKENZIE SENTÍA TANTA VERGÜENZA Y HUMILLACIÓN QUE SE QUEDÓ TRES HORAS ESCONDIDA EN EL CUARTO DE BAÑO, HASTA QUE ACABARON LAS CLASES!!

¡¡Y encima la castigaron a quedarse una hora después de clase por haber hecho novillos!!

Amanda dice que MacKenzie ODIA a los populares de North Hampton Hills porque son malos y creídos y se burlaron de ella por el vídeo del bicho.

¡MADRE MÍA! A mí esa historia de maltrato me sonaba mucho, demasiado y todo. ¡Esas chicas de North Hampton Hills estaban tratando a MacKenzie EXACTAMENTE como ELLA me había tratado a MÍ!

Se ve que algunos de los alumnos de su nuevo colegio habían decidido llamar a MacKenzie Hollister, la antigua Abeja Reina de los GPS...

¡GRAN PEDORRA!

Ya ves, MacKenzie, ¡bienvenida al club! ¡☺!

Todo esto me parece TAN increíblemente, er...

¡¡¡INCREÍBLE!!

Porque esto no era NADA comparado con la GPS MALTRATADORA que tuvo su taquilla junto a la mía durante ocho largos meses en el instituto WCD.

¡Anda ya! ¿Quién en su sano juicio NO QUERRÍA ir a una escuela tan repija como la Academia Internacional North Hampton Hills?

Amanda dice que MacKenzie se inventó cosas guays sobre su vida y fingió que era diferente para caer bien a sus nuevos compañeros. Y eso también explica por qué prácticamente me había robado MI identidad según supe en Dulces Cupcakes.

Pero mi conversación con Amanda se vio BRUSCAMENTE interrumpida por una voz estridente.

"¡¡AMANDA!! ¡Ya te he dicho que no hables NUNCA con esa niña MALCRIADA ni con su PATÉTICA hermana! ¡Vámonos! ¡¡AHORA!!", ha aullado MacKenzie.

Luego ha descendido como un, er... buitre sobre Amanda y se la ha llevado como si fuera... una carroña...

¡MACKENZIE AGARRA A AMANDA Y
SE LA LLEVA CASI A RASTRAS!

En ese momento el rostro de Brianna se ha iluminado con una enorme sonrisa.

"¡Creo que MacKenzie sigue enfadada por lo del Perri-Spa que monté anoche en su habitación!", ha dicho entre risas. "¡A todo el mundo le ENCANTÓ! ¡Menos a MacKenzie!".

¡Y no te lo pierdas! ¡¡MacKenzie no me ha dirigido la palabra!!

Se ha limitado a irse alzando el mentón y contoneándose como si yo no estuviera.

¡¡Qué RABIA me da que haga eso!!

En fin, Brianna tiene parte de culpa de que no haya podido saber más detalles de lo que pasó. No le ha dejado acabar ni una sola frase a Amanda porque la interrumpía para exigir todo tipo de chuches malsanos para el cine.

O sea que, si quiero saber más TRAPOS SUCIOS sobre MacKenzie, parece que no me quedará más remedio que pasar una tarde con Brianna y Amanda llevándolas a ver *El Hada de Azúcar al rescate de la isla del Bebé Unicornio*, episodio 9.

Tener que aguantar otra de esas películas estúpidas y bobas del Hada de Azúcar valía la pena si me servía para estar un paso por delante de MacKenzie y su FESTIVAL DRAMÁTICO.

¡¡☺!!

¡Brandon me ha llamado antes con unas noticias fantásticas sobre Fuzzy Friends!

Según el director, cuatro perros habían sido dados ya en adopción el viernes y seis, el sábado.

¡O sea que esta mañana Fuzzy Friends ya tenía diez plazas para animales nuevos!

¡YAJUUUUUUUUUUU! ¡¡¡☺!!!

¡Lo que significaba que POR FIN había sitio para Holly y sus siete cachorros!

¡Pero ahora viene lo bueno!

¡¡¡TODOS LOS CACHORROS HAN SIDO ADOPTADOS!!! ¡¡Y HOLLY TAMBIÉN!!

El veterinario ha dicho que Holly ya casi había destetado a los cachorros y que ya comían sólido.

277

Me sentía contenta y triste a la vez. Me hubiera ENCANTADO quedarme con un perrito.

Pero, después de todo lo que me dijo mi madre sobre los muebles nuevos y la alfombra, ya ni me molesté en pedirlo.

La hermana de la señora García ha adoptado a Holly, ¡y a cuatro de los cachorros se los han quedado algunas niñas scouts! ¡GENIAL!

Total, que gracias al tío Carlos de Chloe, ¡cinco perros habían encontrado hogar!

Y Marcy también se ha quedado un cachorro, y otros dos han ido a parar a personas que estaban en la lista de espera de golden retrievers de Fuzzy Friends.

Me rompía el corazón que esos maravillosos perros hubieran sido asignados a OTRAS familias.

Supongo que en MI casa NUNCA JAMÁS entrará un perro.

Trataba de contener las lágrimas.

Sé que es una tontería haberme encariñado tanto con ellos en tan pocos días.

Pero me deprimía mirar la marca que había dejado la jaula en la alfombra.

¡Ahora en mi habitación hay tanto silencio que casi no puedo dormir!

Brianna también echa de menos a los cachorros.

Mira que le hice jurar por el Bebé Unicornio Rosa del Hada de Azúcar que lo mantendría todo en SECRETO, pero últimamente SOLO habla de eso.

"¿Sabéis a quién le GUSTARÍAN de verdad estas albóndigas?", ha dicho con un suspiro durante la cena. "¡A Holly y los siete cachorros que escondimos en el cuarto de Nikki! Los echo mucho de menos".

Una parte de mí tenía ganas de estirar el brazo y darle una bofetada. Y la otra parte se había asustado tanto que me he atragantado con una albóndiga.

Bueno, la verdad es que... ¡TODA YO ya me estaba ahogando con esa albóndiga!

"¡Nikki!", ha gritado mi madre. "¡¿Estás bien?!".

He tosido y he bebido corriendo zumo para hacer bajar la albóndiga antes de empezar a ponerme azul.

"¡Perdón! ¡Las albóndigas están tan buenas que me da pena tragarlas!", he dicho con una risa nerviosa.

Mis padres se han cruzado una mirada.

"Brianna, ¿qué decías sobre unos cachorros?", le ha preguntado mi padre intrigado.

"¡Brianna!", he interrumpido en un intento desesperado de cambiar de tema. "¿Qué tal está Oliver? ¡Seguro que a él también le gustan las albóndigas!".

"¡Sí, pero los cachorros MÁS!", se ha lamentado. "Me dijo que quería jugar con los que tenías en la habitación".

Mi padre ha fruncido el ceño. "¿Qué son? ¿Cachorros de peluche del Hada de Azúcar?".

"¡No, papá! ¡Son los cachorros de Nikki! ¡Y son de VERDAD!", le ha corregido Brianna.

"No, papá, no son de verdad", he explicado. "Pero a Brianna le gusta imaginar que viven en mi habitación".

"¡No señora!", ha protestado. "¡Son de verdad y tú lo sabes! ¡Acuérdate de los cojines rotos en la sala! ¡Y de la mantequilla de cacahuete y el barro del Perri-Spa en el baño de arriba! ¡Y de la caca de perro que encontramos en la habitación de los papis! ¡Y de...!".

"¡JA, JA, JA!", he reído muy fuerte para que no la oyeran. "¡¿Caca de perro en el cuarto de mamá y papá?! ¡Madre mía! ¡Dices unas COSAS, Brianna...!".

"Pues no te reías tanto cuando te tiraste al suelo del cuarto de baño que estaba cubierto de barro, mantequilla de cacahuete y papel del váter!", ha gritado Brianna sacándome la lengua.

"¡Brianna!", la ha reñido mi madre. "¡Ya está bien!".

¡NO podía creer que esa mocosa MIMADA estuviera aireando así mis asuntos! ¡Mil gracias, Brianna!

Gracias por cargarme así el muerto para que mamá y papá me castiguen sin salir hasta los dieciocho años.

"De verdad que no entiendo POR QUÉ Brianna está de pronto tan obsesionada con los cachorros", he dicho encogiéndome de hombros con cara de inocente. "Supongo que es por lo de la noche con las scouts".

Mis padres han vuelto a mirarse.

Y yo he empezado a sentirme algo incómoda.

Había algo raro en ellos, no estaban como siempre.

¿Se estaban creyendo lo que contaba Brianna aunque sonara tan de locos?

"Nikki, ¿me ayudarás después de cenar a traer la compra del coche, por favor?", ha dicho mi madre.

Veinte minutos después estaba llevando una media
docena de bolsas de la tienda Mascotas y MásCosas.

"¿Esto es la compra?", he preguntado extrañada.
"Mamá, ya sé que algún día has visto a Brianna beber
directamente del váter y morder al cartero. Pero...
¡de ahí a comprarle Chiki Pienso! ¡¿No te parece un
poco drástico?!".

"Es para una recogida de alimentos de la tropa de
Brianna", ha dicho mi madre.

"¡Hala! ¿Qué es todo esto?", ha dicho Brianna.
"Mami, ¿me has comprado cereales para cachorros?
¡ÑAMI!".

No podía creer lo que acababa de oírle decir.

"Me comí un montón de barritas de bacon para
perros cuando Nikki los tuvo en casa", ha presumido.

De pronto ha aparecido mi padre bajando las
escaleras con una gran caja blanca que llevaba
un gran lazo rojo.

"¡TOMA!", he exclamado. ¡Quizás era un portátil nuevo porque Brianna había metido el otro en el lavavajillas!

¡CHICAS! ¡TENGO UNA SORPRESA PARA VOSOTRAS!

Y al abrir la caja y mirar en su interior...

¡ha salido un cachorrito que se ha abalanzado sobre nosotras y nos ha empezado a lamer la cara!

¡Era la hija más pequeña de Holly! ¡La que nos gustaba tanto a Brianna y a mí!

"¡¡YAJUUUUUUUUUUUUUUUU!!", hemos gritado a la vez.

"¡GUAU! ¡GUAU! ¡GUAU!", ha ladrado la perrita.

¡Estábamos tan contentas que nos hemos echado a LLORAR!

"¡Llevaba mucho tiempo insistiéndole a tu madre y al final ha cedido!", ha presumido mi padre. "¡Ya me podéis dar las gracias!".

"Bueno, la verdad es que lleváis toda la semana hablando de perros y al final me planteé en serio lo de tener uno en casa. Cuando fui a buscar a Brianna y vi ESTA perrita tan preciosa no pude evitar encariñarme a primera vista. Llamé corriendo a Fuzzy Friends y tramité su adopción".

"¿Podemos llamarla DAISY?", ha preguntado Brianna emocionada. "¡Es la perrita más pequeña, bonita y dulce del mundo mundial!".

Yo estaba totalmente de acuerdo. ¡Estábamos tan contentos y emocionados que nos hemos dado un abrazo de grupo! ¡Con DAISY!...

¡¡LA PERRITA NUEVA DE LA FAMILIA MAXWELL!!

"¡Algo me decía que era para nosotros!", ha dicho mi madre, mientras le guiñaba un ojo a mi padre.

Me he puesto totalmente paranoica. ¿Qué significaba ESE comentario?

Creía que había conseguido realizar la mayor operación de tráfico de cachorros de la historia de la familia Maxwell sin ser descubierta.

Pero empiezo a pensar que los que nos tienen engañadas a Brianna y a mí son mis padres.

¡Lo importante era que Holly y sus cachorros ya tenían hogar! ¡Y NOSOTROS teníamos una perrita adorable llamada Daisy!

¡Y la semana que viene en el instituto iba a ser la primera de todo el curso sin MELODRAMAS!

¡¡Mi vida era PERFECTA!! ¡¡☺!!

Hasta que he leído el mensaje de correo electrónico que el director Winston ha enviado a mis padres...

PARA: Sr. y Sra. Maxwell

DE: Director Winston

REF.: Semana de Intercambio de Alumnos

Queridos padres:

Cada curso, todos los alumnos de entre 14 y 15 años del WCD participan en una semana de intercambio con otros centros locales. Creemos que así se contribuye a fomentar buenas relaciones con los alumnos y profesores de los centros anfitriones.

Su hija Nikki Maxwell asistirá a la ACADEMIA INTERNACIONAL NORTH HAMPTON HILLS junto con otros alumnos del WCD. Será una ocasión de mostrar el mejor de los comportamientos, seguir el ideario y las normas del centro anfitrión y ser causa de orgullo para nuestro instituto. La semana que viene daremos a los alumnos más información sobre este importante acontecimiento. No duden en exponerme cualquier duda o pregunta.

Atentamente,

Director Winston

Al principio he pensado que la carta era una BROMA. Pero luego he ido a mirar la agenda del WCD en la web del instituto y, en efecto, aparecía la Semana de Intercambio de Alumnos como una actividad oficial.

¡¡GENIAL!! ¡¡☹!!

¡¡¿Ahora resulta que iré al colegio de MacKenzie?!!

¡Justo cuando pensaba que esa reina del melodrama ya estaba fuera de mi vida PARA SIEMPRE, reaparece como una de esas PESADILLAS que se repiten!

Aunque, con lo que me he enterado ahora, creo que yo le podría ser de ayuda. ¡Se pasa muy MAL cuando otros alumnos hacen que te sientas extraña en tu instituto!

¡Claro que basta con creer en TI MISMA! ¿Que por qué lo sé? Probablemente porque...

¡SOY TAN PEDORRA!
¡¡☺!!

Rachel Renée Russell es una abogada que prefiere escribir libros para preadolescentes a redactar textos jurídicos. (Más que nada porque los libros son mucho más divertidos y en los juzgados no se permite estar en pijama ni con pantuflas de conejitos.)

Ha criado a dos hijas y ha vivido para contarlo. Le gusta cultivar flores de color lila y hacer manualidades totalmente inútiles (como un microondas construido con palitos de polos, pegamento y purpurina). Rachel vive en el norte de Virginia con un yorki malcriado que cada día la aterroriza trepando al mueble del ordenador y tirándole peluches cuando está escribiendo. Y, sí, Rachel se considera a sí misma una pedorra total.

OTRAS OBRAS DE
Rachel Renée Russell